Universale Economica

NICCOLÒ MACHIAVELLI
IL PRINCIPE

con uno scritto di G.W.F. Hegel
a cura di Ugo Dotti

Feltrinelli

© Giangiacomo Feltrinelli Editore Milano
Prima edizione: settembre 1979
Settima edizione: gennaio 1985

ISBN 88-07-80860-9

Premessa

1. *Le pagine hegeliane sul* Principe *che qui presentiamo sono tratte da uno dei piú fortunati scritti politici del grande filosofo tedesco,* la Costituzione della Germania. *Scritte tra il 1798 e il 1803, in un momento cruciale della storia europea — gli esiti rivoluzionari francesi, l'ascesa di Napoleone, la "miseria tedesca" — Hegel si pone come compito "la comprensione di quello che è." E in uno dei capitoli dello scritto, il nono ("La formazione degli stati nel resto d'Europa"), analizzando la divisione nazionale dell'Italia e cercando di rintracciare i tentativi compiuti per instaurare l'unità, Hegel viene a parlare del Machiavelli e del* Principe. *L'indagine del filosofo è quanto mai oggettiva e spregiudicata: non solo egli vede le teorie machiavelliane nascere direttamente dalla storia, dalle sue ragioni e dalle sue esigenze, ma non le intende affatto come apportatrici di una mera "politica di potenza," di una "Machtpolitik" (secondo quanto sarà, ad esempio, l'orientamento della scuola del Meinecke); sí invece come disperata ideologia di un'unità nazionale, un'unità perduta e da recuperare; come il pensiero di un grande rivoluzionario teso a realizzare questa meta con ogni mezzo possibile. Un'ideologia, quindi, che si giustifica nella storia — nella particolare storia della crisi italiana agli inizi del secolo decimosesto; un'etica che si propone come compito il superamento di una tradizione culturale astratta e ancora legata all'egemonia stoico-cristiana; un pensiero che, fondato sull'osservazione scientifico-naturalistica, è esplicitamente diretto ad incidere sul reale. E tanto piú importante apparirà la posizione hegeliana se posta a confronto con le precedenti interpretazioni del* Principe *del Machiavelli, sia quelle piú o meno aspramente de-*

nigratorie, sia quelle che tendevano a giustificare l' "immoralità" delle posizioni teoriche del segretario fiorentino.

Gli esponenti dell'una e dell'altra tendenza, infatti, muovevano dalla lettura del Principe *come se si trattasse, per usare le parole di Hegel, di "un compendio di principî politico-morali," e quasi esclusivamente di ciò. Sia infatti che il libro venisse condannato come scritto dal dito di Satana — da parte cattolica come lettura, ad esempio, che avrebbe alimentato le energie di Tommaso Cromwell e di Enrico VII nel sostenere la Chiesa nazionale e i diritti dello Stato; da parte calivinista come quella che avrebbe ispirato a Caterina de' Medici le stragi della notte di San Bartolomeo —; sia invece che venisse difeso variamente escogitando le tesi della cosiddetta "obliquità" — e ciò in particolare nel secondo Settecento (il* Principe *come satira della tirannia e del potere assoluto; come pagine che rivelano alle genti, secondo le celebri parole del Foscolo, "di che lacrime grondi e di che sangue" lo scettro dei regnanti), in ogni caso, tolto dal suo contesto storico-culturale — il problema della crisi italiana; la cultura d'avanguardia nelle lotte condotte per la liquidazione della società feudale; la stessa svolta impressa dalle ragioni della storia alla cultura e all'etica della tradizione umanistica — esso finiva per essere travisato e, come appunto denuncia Hegel, inteso come "compendio di principî politico-morali buono per tutti gli usi e adatto a tutte le situazioni, vale a dire a nessuna."*

No, *proclamava il filosofo tedesco. Si deve giungere alla lettura del* Principe *avendo ben presenti i secoli di storia precedenti al Machiavelli e l'età a lui contemporanea. Solo allora — egli sosteneva — "non soltanto il libro sarà giustificato, ma comparirà come una grandissima e vera concezione, nata da una mente davvero politica che pensava nel modo più grande e più nobile." Può ben essere, come ha sostenuto il Rosenkranz, che Hegel volesse, con la sua* Costituzione, *farsi il Machiavelli della Germania; certo è che con la sua interpretazione, per la prima volta tutta calata nella storia, il* Principe *(come con Fichte e, poco dopo, con De Sanctis) usciva definitivamente dall'equivoco dell'antimachiavellismo e del suo antidoto democratico, l'o-*

bliquità, per porsi come libro che non solo richiamava il problema dello stato assoluto come passo in avanti nel processo di liberazione dalle strutture anarchico-feudali della società, ma anche — ed è forse la questione ancor oggi più rilevante — come "manifesto" che rompendo con una tradizione astratta e pregiudicata, poneva le basi di un'etica davvero nuova e moderna; quella fondata su di una scienza sociale mirante a studiare l'in-sé oggettivo dei fenomeni nella loro esclusiva immanenza.

2. L'esigenza dello stato unitario che nella concezione di Hegel sarebbe dovuto sorgere dal superamento della Rivoluzione francese (ma "superata" nel doppio senso dialettico, e cioè insieme come conservata) — esigenza che nei termini e modi propri dell'età di lui il filosofo avverte con tanta passione in Machiavelli — costituí, del resto, uno dei temi dominanti nella problematica interpretativa del Principe nell'Ottocento. Dopo Hegel — e si pensi particolarmente al nostro De Sanctis — non fu più possibile astrarre l'opera del segretario fiorentino dallo storico contesto in cui nacque. Anzi fu proprio il De Sanctis a dire che due secoli e mezzo di critica al Machiavelli non erano stati altro che "una quistione posta male": ogni forma d'interpretazione obliqua veniva posta da canto. Senonché all'esigenza dello stato unitario, sotto l'influenza degli avvenimenti storici, si sostituí in certo modo quella dello "stato nazionale," donde la figura di un Machiavelli "profeta" dell'Italia del Risorgimento. Interpretazione assai discutibile, si capisce; e particolarmente caduca, soprattutto dopo che l'unificazione d'Italia divenne un fatto compiuto; ma non inutile, se non altro per il tipo di discussioni, anche filologiche, che portò con sé. Dalla contestazione della possibilità del concetto di "nazione," "stato," "stato moderno" negli uomini del Cinquecento (Chabod) si passò ad osservare che le idee del Machiavelli riguardanti l'unità d'Italia rimanevano piuttosto vaghe: non era chiaro, per esempio, se egli prospettasse un'alleanza militare transitoria, una costituzione federale permanente o uno stato nazionale unificato. E quando poi tra lo Chabod e il Meinecke esplose la

polemica sulla datazione dell'ultimo capitolo del Principe, l' "exhortatio," si vide bene che non erano in gioco soltanto problemi di cronologia e filologia, giacché, accettando o respingendo l'idea di una composizione unitaria del libretto si finiva insieme, nelle particolari condizioni storiche in cui il Principe fu composto, per accettare o respingere, con il "furor politicus" del segretario fiorentino, l'idea, tutto sommato di ascendenza hegeliana, che ciò che stava a cuore al Machiavelli, in quel drammatico 1513, era non il pathos retorico-nazionalistico, ma la volontà di innalzare l'Italia al livello delle grandi monarchie europee; quanto meno a uno "stato" consapevole della propria posizione storica. Una volontà, appunto, che per realizzarsi esigeva, fusi in un "unicum," spregiudicatezza d'analisi e calore d'immaginazione. Non a caso Hegel, a guisa di commento del XXVI capitolo del Principe, scriveva che un uomo che parlava con il tono di una verità nata dalla sua serietà non poteva avere né bassezza nel cuore, né capricci per la mente.

D'altra parte le tesi hegeliane sullo Stato, spesso travisate per costruire una linea di sviluppo autoritaria (Hegel-Ranke-Bismarck) e reinserire Hegel tra gli antenati spirituali del Reich, portarono, anche da noi, a concepire lo "stato" del Machiavelli come prefigurazione teorica dello "stato forte." Non varrebbe la pena di parlarne se non dovessimo sottolineare che nelle pagine su Machiavelli e altre della Costituzione (dal qual scritto, come s'è detto, queste su Machiavelli son tratte), il grande filosofo tedesco non autorizzò affatto conseguenze tanto triviali. Egli fu certo un avversario delle tendenze democratico-radicali della Rivoluzione francese, e ne parlò infatti come di un' "anarchia"; pure egli vedeva sempre nella Rivoluzione francese, dopo il superamento dell' "anarchia," l'inizio di una nuova epoca nella storia del mondo: le sue tesi erano lontanissime da ogni sorta di restaurazione. Non diversamente, parlando di Machiavelli, egli inserisce una breve stroncatura dell'Antimachiavel di Federico II di Prussia e sottolinea il contrasto storico concreto; mentre Machiavelli combatteva per l'unità italiana, il suo critico fu un monarca "che rese manifesta nel modo piú chiaro, in tutta la sua *vita e in tutte le sue azioni, la dissoluzione dello stato tedesco in stati indipendenti."*

È su queste basi storiche che Hegel ha parlato della necessità dello stato moderno: quelle dell'intollerabile carenza di un'organizzazione statale (che per quanto riguarda la Germania Hegel vede approfondirsi con la pace di Westfalia). E per quanto riguarda i tempi in cui scrive: "A proposito della bassezza, nella opinione comune, già il nome di Machiavelli è segnato dalla riprovazione: principî machiavellici e principî riprovevoli sono, per essa, la stessa cosa. Il cieco vociare di una cosiddetta libertà ha tanto soffocato l'idea di uno stato che un popolo si impegni a costituire, che forse non bastano né tutta la miseria abbattutasi sulla Germania nella guerra dei sette anni, e in quest'ultima guerra contro la Francia, né tutti i progressi della ragione e l'esperienza delle convulsioni della libertà francese, per innalzare a fede dei popoli o a principio della scienza politica questa verità: che la libertà è possibile solo là dove un popolo si è unito, sotto l'egida delle leggi, in uno stato." È ben vero che Hegel non comprese le concrete lotte di classe della Rivoluzione francese, ma non fu affatto cieco di fronte al loro contenuto sociale. Lo stato come creazione della società borghese moderna, come liquidazione dei privilegi feudali: questo egli voleva per la Germania e questo egli sentiva prefigurato in Machiavelli.

3. "Già il fine che Machiavelli si prefisse, di innalzare l'Italia ad uno stato, viene frainteso dalla cecità, la quale vede nell'opera di Machiavelli nient'altro che una fondazione di tirannia, uno specchio dorato presentato ad un ambizioso oppressore. Ma se anche si riconosce quel fine, i mezzi — si dice — sono ripugnanti: e qui la morale ha tutto l'agio di mettere in mostra le sue trivialità, che il fine non giustifica i mezzi ecc. Ma qui non ha senso discutere sulla scelta dei mezzi. Le membra cancrenose non possono essere curate con l'acqua di lavanda. Una condizione nella quale veleno ed assassinio sono diventate armi abituali non ammette interventi correttivi troppo delicati. Una vita prossima alla putrefazione può essere riorganizzata

solo con la piú dura energia." Scrivendo queste parole Hegel, mentre ribadiva il suo pensiero di fondo, e cioè che il
Principe va letto muovendo dalla tragica situazione storica
italiana, poneva il problema dello scontro, per cosí dire,
tra sfera etica e sfera politica, apparentemente inconcilia-
bili quando non si consideri che il valore etico supremo non
consiste nell'ossequio al "bene" e alla "virtú" in se stessi
e in astratto (e cioè dal punto di vista di una moralità sog-
gettiva o in riferimento alla trascendenza di un ordinamento
divino del mondo), ma nel dominio dell'uomo sulla propria vita. Quando Benedetto Croce ravvisò nel segretario
fiorentino lo scopritore dell'autonomia della politica (veri-
ficando come in un suo precursore la teoria dello Spirito
e la dialettica dei distinti), parve che le cose, in certo modo,
andassero a posto. "La politica," egli scrisse, "è al di là,
o piuttosto al di qua, dal bene e dal male morale; ... essa
ha le sue leggi a cui è vano ribellarsi; ... non [la] si può
esorcizzare e cacciare dal mondo con l'acqua benedetta."
Machiavelli, dunque, non avrebbe insegnato il male per il
male, ma il male come momento negativo, come coefficiente
necessario della realtà, senza il quale non esisterebbe neppure il bene. Senonché Machiavelli, dal punto di vista cro-
ciano, non era giunto a definire il necessario rapporto dialettico che doveva legare i due momenti, quello economico
e quello morale, sí che l'autonomia della politica, irrelata
alla vita dialettica dello Spirito, rischiava di divenire una
proposizione monca.

Abbiamo accennato alla posizione crociana perché essa,
nonostante l'attuale offuscamento delle teorie estetiche e
filosofiche del Croce, rimane, nell'opinione corrente, ben
salda. Il Machiavelli quale scopritore della "politica" come
scienza autonoma è giudizio comune. E non già che ciò sia
in tutto falso; è soltanto notevolmente piú complesso (e lo
si intende, per esempio, leggendo alcune note di Gramsci).
Perché il rischio — o l'equivoco — consiste in ciò: che i
valori "eterni" della morale, valori "supremi" nonostante
la loro astrazione, vengono ugualmente posti come scopi
ultimi e beni sommi e imprescindibili, talché l'autentica
"scoperta" del Machiavelli, quella di un'etica non piú astrat-

ta e trascendente, ma "mondana," che s'intese di un concreto telos storico-sociale, finisce per essere, in realtà, misconosciuta. Machiavelli, in altre parole, non appare quello che fu veramente: non già il fondatore di una nuova etica, quella che ha per sua base teoretica l'immanenza, ideologicamente legata alla convinzione che tutte le comunità umane, fino allo Stato, sono formazioni che si reggono su un regolamento immanente e su di un principio sociale, ma, più riduttivamente, lo scopritore dell'autonomia della politica.

Nel senso da noi indicato, al contrario, le pagine hegeliane offrono più di uno spunto. Condannando le "trivialità" della morale, Hegel mostra il suo disprezzo per il modo tradizionale di determinare in astratto bene e male, vizio e virtú; difendendo il "dovere" dello Stato di punire, egli mostra di capire che il vero modo etico di accogliere la nuova visione del mondo (quella fondata sull'osservazione "scientifica" dei comportamenti dell'uomo nella società) è di trasformarla in un motivo importante dell'agire; e quando infine, ispirandosi a motivi plutarchiani, riduce il "sacrificio" di Catone, contro l'opinione dei ciarlatani della "libertà," a una mera "questione di partito" (il non voler soggiacere al nemico Cesare che aveva odiato ed offeso), mostra di comprendere il concreto e storico significato dell'azione umana nella storia. In questa prospettiva, dove l'intelligenza dell'uomo vien posta al centro di un universo dominato dalla lotta come principio naturale, è persino ovvio che Machiavelli faccia appello, per la costruzione di una società il più possibile ordinata, all'energia creativa, alla "virtú" nei suoi aspetti decisivi: la sapienza della ragione che si organizza in legge e la forza dell'agire che cambia il mondo; ed Hegel lo sottolinea con decisione.

Senonché un compito così rivoluzionario non poteva non suscitare violente reazioni e lo choc prodotto dalle nuove teorie non poteva, a sua volta, non produrre controreazioni altrettanto forti e sofferte: si pensi soltanto all'immagine, così polemica dopo Pascal, del mondo "abbandonato da Dio," dell'uomo "gettato" nella sua solitudine angosciosa e disperata. Sentimenti profondi, certamente, che spesso si tradus-

11

sero però in appelli minacciosi, in nome della vecchia fede e della vecchia religione, contro l' "inumanità" dei nuovi principî scientifici, etici e naturalistici: una prova di piú, se ce ne fosse bisogno, dell'importanza della svolta operata da Machiavelli.

Ugo Dotti

Nota. — Il testo del *Principe* qui dato è quello stabilito da M. Martelli in N. Machiavelli, *Tutte le opere, Firenze*, Sansoni, 1971. Nelle note si è particolarmente badato a richiamare quei passi dei *Discorsi* in cui il pensiero di Machiavelli è tornato rielaborato o meglio svolto.

Vita e opere di Niccolò Machiavelli

1469   Nasce a Firenze, il 3 maggio, da Bernardo, dottore in legge, e da Bartolomea de' Nelli.

1476   Intraprende, il 6 maggio, lo studio del "Donatello": cioè dei primi elementi del latino.

1480   Si addestra nell'abbaco.

1497   Il 2 dicembre indirizza una lettera al cardinale di Perugia a nome di tutta la famiglia: è il primo scritto di Machiavelli che si conserva.

1498   Il 15-19 giugno entra ufficialmente nell'amministrazione della repubblica fiorentina, in qualità di segretario incaricato di presiedere alla seconda Cancelleria e poi, dal 14 luglio, di servire i Dieci di Balìa.

1499   Nel marzo è incaricato di una missione diplomatica presso Jacopo IV d'Appiano, signore di Piombino; nel luglio di una nuova missione presso Caterina Sforza Riario, che reggeva la signoria di Forlì e di Imola per il figlio Ottaviano. In entrambi i casi si trattava del rinnovo di una "condotta" d'armi. Si occupa della condotta della guerra contro Pisa e scrive una relazione d'ufficio: il *Discorso fatto al magistrato dei Dieci sopra le cose di Pisa.*

1500   Il 19 maggio gli muore il padre Bernardo. Nel luglio compie la sua prima grande esperienza diplomatica: in Francia, presso Luigi XII. È la sua prima legazione.

1501   Nell'autunno sposa Marietta di Luigi Corsini, dalla quale avrà sei figli, quattro maschi (Bernardo, Ludovico, Piero e Guido) e due femmine (Bartolomea o Baccia e un'altra non sopravvissuta).

1502   Nel febbraio si reca a Pistoia, scossa da violente fazioni e, di ritorno, scrive il *De rebus pistoriensibus.* In giugno si reca a Urbino per trattare con Cesare Borgia l'aiuto contro Arezzo e la Valdichiana ribellatisi a Firenze. Il 22 settembre Piero Soderini viene eletto gonfaloniere della Repubblica a vita.

1502   Ottobre: seconda missione presso il Borgia, a Imola. Forse di ritorno a Firenze, ai primi dell'anno successivo, scrive la

Descrizione del modo tenuto dal duca Valentino nello ammazzare Vitellozzo Vitelli, Oliverotto da Fermo, il signor Pagolo e il duca di Gravina Orsini.

1503   Il 18 agosto muore il papa Alessandro VI. Il suo successore, Pio III, eletto il 22 settembre, muore a sua volta il 18 ottobre. Nell'imminenza del nuovo conclave, viene inviato a Roma: il 31 ottobre viene eletto Giulio II. Tra il febbraio e il marzo aveva scritto le *Parole da dirle sopra la provisione del denaio*, in occasione della proposta di nuove imposte; e, dopo il maggio e prima dell'agosto, *Del modo di trattare i popoli della Valdichiana ribellati.*

1504   Tra il gennaio e il marzo si reca a Lione, in seconda legazione presso Luigi XII. L'8 novembre dedica ad Alamanno Salviati il *Decennale primo*, cronaca in terzine dei fatti seguiti in Italia dal 1494.

1505   Nel maggio si reca presso Gian Francesco Gonzaga, marchese di Mantova; in luglio presso Pandolfo Petrucci, a Siena.

1506   Nell'agosto Giulio II decide di riconquistare Perugia e Bologna, dominata la prima da Giampaolo Baglioni e la seconda da Giovanni Bentivoglio. Il papa chiede aiuto a Firenze, e la Signoria gli invia Machiavelli, che s'incontra col pontefice a Civita Castellana, il 28 agosto.

1506   Organizza la milizia fiorentina. Il 6 dicembre il Consiglio maggiore approva la legge costitutrice, creando un nuovo magistrato esclusivamente incaricato di sovrintendere alla organizzazione dell'esercito, i "Nove ufficiali della ordinanza e milizia fiorentina," di cui il Machiavelli è naturalmente cancelliere. Scrive quindi il cosiddetto *Discorso dell'ordinare lo stato di Firenze alle armi* (*Provvisione prima per le fanterie, 6 dicembre 1506*).

1507- Il 17 dicembre parte per il Tirolo in legazione presso Massimiliano I d'Asburgo. Il 25 dicembre è a Ginevra; quindi, attraverso la Svizzera, giunge a Costanza. L'11 gennaio 1508 è a Bolzano, dove incontra il Vettori, rappresentante della Signoria presso l'imperatore. Ritornato a Firenze, il 17 giugno scrive il *Rapporto delle cose della Magna*; nel 1509 il *Discorso sopra le cose della Magna e sopra l'Imperatore*; alla fine del 1512 o agli inizi del '13 il *Ritratto delle cose della Magna.*
1508

1509   Pisa, in giugno, si arrende a Firenze, cosí concludendo la lunga guerra. Nel novembre-dicembre viene inviato a Mantova e a Verona: qui s'incontra di nuovo con l'imperatore. Dà forse inizio al *Decennale secondo.*

1510   Terza legazione alla corte di Francia, in giugno, a Blois. Ha colloqui con il primo consigliere di Luigi XII, il Rubertet. Di ritorno in patria stende il *Ritratto di cose di Francia* e il *De natura Gallorum*.

1511 Arruola nuovi soldati e istituisce una nuova milizia a cavallo (*Provvisione seconda per le milizie a cavallo, 30 marzo 1512*). Ispeziona le fortificazioni di Pisa e Arezzo. In settembre viene inviato a Milano e di nuovo in Francia per ottenere che non si tenga, o che almeno non si tenga a Pisa, il concilio dei cardinali filofrancesi ostili a Giulio II.
In ottobre viene proclamata la Lega Santa tra il Papa, Venezia e Ferdinando il Cattolico contro la Francia.

1512 In agosto l'esercito spagnuolo, al comando di Raimondo di Cardona, marcia contro lo stato fiorentino: il 29 del mese Prato viene assalita, presa e saccheggiata; il 31 Pier Soderini abbandona il potere. In Firenze rientrano i Medici. In novembre, con due deliberazioni del 7 e del 10, Machiavelli viene privato d'ogni ufficio e confinato per un anno nel territorio fiorentino.

1513 Nel febbraio è imprigionato e torturato perché sospettato di complicità nella congiura antimedicea progettata da Pier Paolo Boscoli. Liberato, si ritira a vivere nella tenuta dell'Albergaccio, a Sant'Andrea in Percussina, presso San Casciano. Tra l'aprile e l'agosto ha una fitta corrispondenza epistolare con Francesco Vettori sulla situazione politica italiana e europea. Il 10 dicembre annuncia allo stesso Vettori di aver composto un trattato *De principatibus* (*Il Principe*).

1514 Ai primi di febbraio è di ritorno a Firenze.

1515- Tra il settembre del 1515 e il settembre dell'anno successivo
1516 stende la dedica del *Principe* a Lorenzo de' Medici. Nell'estate del 1516 comincia a frequentare le riunioni dei giardini di Palazzo Rucellai, gli Orti Oricellari.

1517 Porta a compimento i *Discorsi sopra la prima deca di Tito Livio*, iniziati forse nel 1513 (e forse rielaborati fino al 1519). Compone l'*Asino*, capitoli in terza rima, rimasti interrotti.

1518 Tra il marzo e l'aprile è a Genova per conto dei mercanti fiorentini. Compone la *Mandragola*, *Favola* (*Belfagor arcidiavolo*) e il *Discorso o dialogo intorno alla nostra lingua*, ma la datazione di quest'ultima opera è molto incerta. Si esclude soltanto che sia posteriore al 1525.

1519 Inizia la stesura dell'*Arte della guerra*, che porta a termine nel '20. Nell'estate si reca a Lucca, per tutelare gli interessi dei mercanti fiorentini nel fallimento di una casa lucchese. A Lucca, nell'agosto, scrive *La vita di Castruccio Castracani*.

1520 L'8 novembre viene assunto dagli ufficiali preposti allo Studio fiorentino con il compito di redigere annali e cronache di Firenze. Dopo aver scritto il *Discursus florentinarum re-*

rum post mortem iunioris Laurentii Medices (morte avvenuta il 4 maggio 1519), imprende la stesura delle *Istorie fiorentine*.

1521   In maggio si reca a Carpi, per conto della Signoria, al Capitolo dei frati minori. Incontra a Modena F. Guicciardini e corrisponde con lui, scherzosamente, sul suo ruolo di "oratore di frati." Presso Giunta si stampano i dialoghi *Dell'arte della guerra*.

1522-
1524   È profondamente impegnato nella stesura delle *Istorie*. Nella primavera-estate del 1522 si scopre una congiura antimedicea promossa da giovani fiorentini frequentatori degli Orti Oricellari: le riunioni cessano. Machiavelli è preso da una nuova passione amorosa per una donna fiorentina, la Barbera.

1525   Il 13 gennaio viene rappresentata, fuori porta a San Frediano, la *Clizia*, commedia che Machiavelli scrisse per commissione in brevissimo tempo. Nel maggio si reca a Roma per presentare al nuovo papa, Clemente VII, le *Istorie fiorentine*, che vengono bene accolte. In giugno il papa lo invia a Faenza per sottoporre al Guicciardini, presidente della Romagna, un progetto di milizie nazionali.

1526   Nell'aprile, nell'imminenza della guerra tra gli alleati della lega di Cognac e Carlo V, viene eletto provveditore e cancelliere dei Procuratori delle mura che avrebbero dovuto provvedere alla difesa di Firenze. Stende la *Relazione di una visita fatta per fortificare Firenze*. In grazia di tale ufficio svolge alcune missioni: tra l'altro soggiorna al campo di Giovanni dalle Bande Nere.

1527   Nei primi mesi dell'anno si reca a Parma, a Bologna, a Imola e a Forlí. Il 22 aprile torna a Firenze. Il 6 maggio gli eserciti di Carlo V saccheggiano Roma; l'11 maggio i reggenti della famiglia Medici abbandonano Firenze, sostituiti nel governo dal partito aristocratico. Ma il nuovo governo non intende utilizzarlo: muore a Firenze il 21 giugno. Il giorno dopo viene sepolto in Santa Croce.

Notizia bibliografica

A] Edizioni

Vivo Machiavelli furono soltanto pubblicati il *Decennale primo*, la *Mandragola* e l'*Arte della guerra*, rispettivamente nel 1506, tra il 1518 e il '20 e nel 1521. I *Discorsi* apparvero quasi contemporaneamente a Roma e a Firenze nel 1531; il *Principe* e la *Vita di Castruccio Castracani* l'anno successivo. Sempre nel 1532 vennero edite le *Istorie fiorentine*. Per le notizie relative ai mss. e alle prime stampe, vedi comunque, fondamentale, A. Gerber, *Niccolò Machiavelli. Die Handschriften, Ausgaben und Uebersetzungen seiner Werke*, Gotha, Perthes, 1912-13, 4 voll. (rist., Torino 1962).

Tra le numerosissime edizioni delle opere complete del Machiavelli, le più moderne sono: *Opere*, a c. di S. Bertelli e F. Gaeta con introd. di G. Procacci, Milano, Feltrinelli, 1960-65, 8 voll.; *Tutte le opere*, a c. di M. Martelli, Firenze, Sansoni, 1971. In corso di pubblicazione l'ed. critica delle *Legazioni. Commissarie. Scritti di governo*, a c. di F. Cappelli, negli "Scrittori d'Italia," Bari, Laterza, 1971-73 (2 voll. relativi agli 1498-1503).

B] Il Principe

L'unica edizione critica moderna è quella a c. di G. Lisio, Firenze, Sansoni, 1900; ivi 1957, con presentazione di F. Chiappelli. Ancora in fase di allestimento la nuova di A. E. Quaglio.

C] Biografia

Fondamentale è quella di R. Ridolfi, *Vita di Niccolò Machiavelli*, Firenze, Sansoni, 1969, voll. 2, e 1978, di molto accresciuta rispetto alla precedente edizione (Roma, 1954). Un importantissimo contributo, non solo biografico, è nello studio di F. Chabod, *Il segretario fiorentino*, ora in *Scritti su Machiavelli*, Torino, Einaudi, 1964, pp. 243-368.

D] *Repertori e contributi critico-bibliografici*

La Deputazione Toscana di Storia Patria sta allestendo una completa bibliografia della critica machiavelliana. Per gli studi fino al 1935, A. NORSA, *Il principio della forza nel pensiero politico del Machiavelli*, Milano, Hoepli, 1936, comprendente, in bibliografia, 2143 voci a partire dal 1740. Inoltre: C. GOFFIS, N. *Machiavelli*, Firenze, La Nuova Italia, 1954 (2ª ed., 1960); F. FIDO, *Machiavelli*, Palermo, Palumbo, 1965 (il primo nella collana *I classici italiani nella storia della critica*, a c. di W. BINNI; il secondo nella *Storia della critica*, collana dir. da G. PETRONIO). Utile il volumetto di R. BRUSCAGLI, *Niccolò Machiavelli*, Firenze, La Nuova Italia, 1975, nella collana *Strumenti*.

E] *Studi sul "Principe"*

In ordine estremamente selettivo: sulla composizione del *Principe*: F. CHABOD, in *Scritti su Machiavelli*, cit., pp. 139-93; F. MEINECKE, *Anhang zur Einführung*, in *Der Fürst und Kleinere Schriften*, Berlino, 1923.

Sul significato ideologico del *Principe*: le introdd. al *Principe* di F. CHABOD (Torino, 1924; rist. Torino, Einaudi, 1972²); di V. DE CAPRARIIS (Bari, Laterza, 1961); di G. SASSO (Firenze, La Nuova Italia, 1963). Inoltre: F. GILBERT, in *Niccolò Machiavelli e la vita culturale del suo tempo*, Bologna, Il Mulino, 1969, pp. 109-60; G. SASSO, in *Studi su Machiavelli*, Napoli, Morano, 1967, pp. 81-109; F. CHABOD, in *Scritti su Machiavelli*, cit., pp. 31-135.

Sugli aspetti stilistici e linguistici: F. CHIAPPELLI, *Studi sul linguaggio del Machiavelli*, Firenze, Le Monnier, 1952.

F] *Studi sul pensiero politico e storico del Machiavelli*

Anche qui con criterio rigorosamente selettivo: L. RUSSO, *Machiavelli*, Bari, Laterza, 1949 (piú volte ristampato); F. MEINECKE, *L'idea della ragion di stato nella storia moderna*, Firenze, Sansoni, 1970, pp. 25-48; B. CROCE, *Elementi di politica*, Bari, Laterza, 1925; ID., *Machiavelli e Vico. La politica e l'etica*, in *Etica e politica*, Bari, Laterza, 1931; A. GRAMSCI, *Note sul Machiavelli, sulla politica e sullo stato moderno*, Torino, Einaudi, 1949; F. CHABOD, *Scritti su Machiavelli*, cit.; G. SASSO, N. *Machiavelli. Storia del suo pensiero politico*, Napoli, Istituto Italiano di Studi Storici, 1958; F. GILBERT, *Machiavelli e Guicciardini. Pensiero politico e storiografico a Firenze nel Cinquecento*, Torino, Einaudi, 1970; R. VON ALBERTINI, *Firenze dalla repubblica al principato. Storia e coscienza politica*, Torino, Einaudi, 1970, pp. 3-103.

Il "Principe" di Machiavelli e l'Italia*

DI G. W. F. HEGEL

L'Italia ha avuto in comune con la Germania lo stesso corso del destino; con la sola differenza che essa, avendo già prima un più elevato grado di cultura, fu condotta prima dal suo destino a quella linea di svolgimento che la Germania sta percorrendo ora fino in fondo.

Gli imperatori romano-germanici rivendicarono per lungo tempo sull'Italia una sovranità che, come in Germania, era effettiva nella misura e fin quando era affermata dalla personale potenza dell'imperatore. La brama degli imperatori, di conservare entrambi i paesi sotto il loro dominio, ha distrutto il loro potere in entrambi.

In Italia ogni punto di essa acquistò sovranità; essa cessò di essere un solo stato, e divenne un groviglio di stati indipendenti, monarchie, aristocrazie, democrazie, come il caso voleva; e per un breve periodo si videro anche le forme degenerative di queste costituzioni, la tirannide, l'oligarchia e l'oclocrazia. La situazione d'Italia non può essere definita anarchia perché la moltitudine dei partiti in contrasto erano stati organizzati. Malgrado la mancanza di un vincolo statale in senso proprio, una gran parte di quegli stati si univa insieme per far fronte comune contro il capo dell'impero, mentre gli altri si univano per allearsi con lui. Il partito ghibellino e quello guelfo, che allora si ramificavano in tutta la Germania e in tutta l'Italia, sono

* Lo scritto di Hegel sulla situazione italiana e Machiavelli che qui presentiamo (il titolo è redazionale), è tratto dal nono capitolo della *Costituzione della Germania* (*La formazione degli stati nel resto d'Europa*). È dato nella traduzione italiana di C. Cesa, in G.W.F. Hegel, *Scritti politici*, Torino, Einaudi, 1972, pp. 101-8. Si ringrazia traduttore ed editore per la gentile concessione.

tornati a presentarsi nella Germania del XVIII secolo come partito austriaco e partito prussiano — salvo i mutamenti dovuti alla diversità dei tempi.

Non passò molto tempo da quando le singole parti d'Italia ebbero dissolto lo stato prima esistente e furono ascese all'indipendenza, che esse stimolarono l'avidità di conquista delle potenze piú grandi, e diventarono il teatro delle guerre delle potenze straniere. I piccoli stati che si contrapposero, sul piano della potenza, ad una potenza mille e piú volte maggiore, ebbero a subire il loro necessario destino, la rovina: e accanto al rimpianto si prova il sentimento della necessità, e della colpa imputabile a pigmei che, ponendosi accanto a colossi, ne vengono calpestati. Anche l'esistenza dei maggiori stati italiani, che si erano formati assorbendo una quantità di stati minori, continuò a vegetare, senza forza e senza vera indipendenza, come una pedina nei piani delle potenze straniere; si conservarono un po' piú a lungo per la loro abilità nell'umiliarsi avvedutamente al momento giusto, e di tener lontano, con continue mezze sottomissioni, quell'assoggettamento totale che da ultimo non poté mancare.

Che cosa è stato della moltitudine degli stati indipendenti, Pisa, Siena, Arezzo, Ferrara, Milano, di queste centinaia di stati — ogni città ne costituiva uno? Che cosa è stato delle famiglie dei tanti duchi e marchesi del tutto sovrani, delle case principesche dei Bentivoglio, Sforza, Gonzaga, Pico, Urbino ecc., e della innumerevole nobiltà minore? Gli stati indipendenti vennero assorbiti da quelli piú grandi, questi da quelli piú grandi ancora, e cosí via; ad uno dei piú grandi, Venezia, la fine è stata data, ai nostri giorni, da una lettera di un generale francese, recapitata da un aiutante.[1] Le case principesche piú illustri non hanno piú sovranità, e nemmeno peso politico, in un ordinamento rappresentativo. Le stirpi piú nobili sono diventate aristocrazia di corte.

In questo periodo di sventura, quando l'Italia correva incontro alla sua miseria, ed era il campo di battaglia del-

---

[1] Allusione al trattato di Campoformio (17 ottobre 1797), con il quale — e con la cessione di Venezia all'Austria — si concluse la prima campagna italiana di Napoleone. [N.d.C.]

le guerre che i principi stranieri conducevano per impadronirsi dei suoi territori, ed essa forniva i mezzi per le guerre, e ne era il prezzo; quando essa affidava la propria difesa all'assassinio, al veleno, al tradimento, o a schiere di gentaglia forestiera sempre costose e rovinose per chi le assoldava, e piú spesso anche temibili e pericolose — alcuni dei capi di esse ascesero al rango principesco —; quando tedeschi, spagnoli, francesi e svizzeri la mettevano a sacco, ed erano i gabinetti stranieri a decidere la sorte della nazione, ci fu un uomo di stato italiano che nel pieno sentimento di questa condizione di miseria universale, di odio, di dissoluzione, di cecità concepí, con freddo giudizio, la necessaria idea che per salvare l'Italia bisognasse unificarla in uno stato. Con rigorosa consequenzialità egli tracciò la via che era necessaria, sia in vista della salvezza sia tenendo conto della corruttela e del cieco delirio del suo tempo, ed invitò il suo principe a prendere per sé il nobile compito di salvare l'Italia, e la gloria di porre fine alla sua sventura, con le parole seguenti[2]:

"E se, come io dissi, era necessario, volendo vedere la virtú di Moisè, che il populo di Isdrael fussi stiavo in Egitto, e a conoscere la grandezza dello animo di Ciro, ch'e' Persi fussino oppressati da' Medi, e la eccellenzia di Teseo, che li Ateniesi fussino dispersi; cosí, al presente, volendo conoscere la virtú di uno spirito italiano, era necessario che l'Italia si riducessi nel termine che ella è di presente, e che la fussi piú stiava che gli Ebrei, piú serva ch'e' Persi, piú dispersa che gli Ateniesi; sanza capo, sanza ordine; battuta, spogliata, lacera, corsa; ed avessi sopportato d'ogni sorte ruina. E benché fino a qui si sia mostro qualche spiraculo in qualcuno, da potere iudicare che fussi ordinato da Dio per sua redenzione, tamen si è visto da poi, come, nel piú alto corso delle azioni sue, è stato dalla fortuna reprobato. In modo che, rimasa sanza vita, aspetta qual possa essere quello che sani le sue ferite, e ponga fine a' sacchi di Lombardia, alle taglie del Reame e di To-

    [2] Hegel inserí questi passi del *Principe* di Machiavelli (tutti dal XXVI cap.) trascrivendoli da una traduzione francese. Qui si riportano nell'originale italiano. [*N.d.C.*]

scana, e la guarisca di quelle sue piaghe già per lungo tempo infistolite."

"Qui è iustizia grande: iustum enim est bellum quibus necessarium, et pia arma ubi nulla nisi in armis spes est."

"Ogni cosa è concorsa nella vostra grandezza. El rimanente dovete fare voi. Dio non vuole fare ogni cosa, per non ci torre el libero arbitrio e parte di quella gloria che tocca a noi."

"Né posso esprimere con quale amore e' [il redentore d'Italia] fussi ricevuto in tutte quelle province che hanno patito per queste illuvioni esterne; con che sete di vendetta, con che ostinata fede, con che pietà, con che lacrime. Quali porte se gli serrerebbano? quali populi gli negherebbano la obedienza? quali invidia se gli opporrebbe? quale Italiano gli negherebbe l'ossequio?"

È facile rendersi conto che un uomo il quale parla con un tono di verità che scaturisce dalla sua serietà non poteva avere bassezza nel cuore, né capricci nella mente. A proposito della bassezza, nella opinione comune già il nome di Machiavelli è segnato dalla riprovazione: principî machiavellici e principî riprovevoli sono, per lei, la stessa cosa. Il cieco vociare di una cosiddetta libertà ha tanto soffocato l'idea di uno stato che un popolo si impegni a costituire, che forse non bastano né tutta la miseria abbattutasi sulla Germania nella guerra dei sette anni, e in quest'ultima guerra contro la Francia,[3] né tutti i progressi della ragione e l'esperienza delle convulsioni della libertà francese per innalzare a fede dei popoli o a principio della scienza politica questa verità: che la libertà è possibile solo là dove un popolo si è unito, sotto l'egida delle leggi, in uno stato.

Già il fine che Machiavelli si prefisse, di innalzare l'Italia ad uno stato, viene frainteso dalla cecità, la quale vede nell'opera del Machiavelli nient'altro che una fondazione di tirannia, uno specchio dorato presentato ad un ambizioso oppressore. Ma se anche si riconosce quel fine, i mezzi — si dice — sono ripugnanti: e qui la morale ha tutto

---

[3] Si tratta della seconda coalizione antifrancese. [N.d.C.]

l'agio di mettere in mostra le sue trivialità, che il fine non giustifica i mezzi, ecc. Ma qui non ha senso discutere sulla scelta dei mezzi, le membra cancrenose non possono essere curate con l'acqua di lavanda. Una condizione nella quale veleno ed assassinio sono diventate armi abituali non ammette interventi correttivi troppo delicati. Una vita prossima alla putrefazione può essere riorganizzata solo con la più dura energia.

È perfettamente assurdo considerare l'esemplificazione di una idea attinta direttamente dalla visione delle condizioni d'Italia come un compendio di principî politico-morali buono per tutti gli usi, e adatto a tutte le situazioni, cioè a nessuna. Il *Principe* si deve leggere avendo ben presente la storia dei secoli precedenti a Machiavelli, e quella dell'Italia a lui contemporanea: allora non soltanto il *Principe* sarà giustificato, ma esso comparirà come una grandissima e vera concezione, nata da una mente davvero politica che pensava nel modo più grande e più nobile.

Non sarebbe superfluo dire qualche cosa su un aspetto che di solito viene trascurato, cioè sui tratti davvero ideali che Machiavelli esige da un principe che sia eccellente — ed a tali condizioni non ha assolto nessuno dei principi che hanno regnato dopo di lui, neppure colui che lo ha confutato.[4] E quanto a quelli che vengono definiti "i mezzi ripugnanti" che Machiavelli avrebbe consigliato, ebbene, è da un ben altro angolo visuale che essi vanno considerati. L'Italia doveva essere uno stato; questo valeva come principio anche allora, quando l'imperatore continuava ad essere considerato il signore da cui ogni prerogativa derivava — e questo universale è ciò che Machiavelli presuppone, questo egli esige, questo è il suo principio per rimediare alla miseria del suo paese. Posto questo, il comportamento del principe si configura in tutt'altro modo. Ciò che sarebbe riprovevole se esercitato da un privato contro un privato, o da uno stato contro un altro stato o contro un privato, è adesso una giusta pena. Promuovere l'anarchia è il peggiore delitto, anzi, l'unico delitto che

[4] Allude a Federico II di Prussia, autore di un *Antimachiavelli* (1740). [*N.d.C.*]

si possa commettere contro uno stato; ad essa si possono ridurre tutti i delitti che lo stato è tenuto a reprimere, e coloro che aggrediscono lo stato non indirettamente, come gli altri delinquenti, ma direttamente, sono i criminali peggiori — e lo stato non ha dovere piú alto che quello di conservare se stesso e di debellare nel modo piú sicuro tali criminali. L'esercizio, da parte dello stato, di tale altissimo dovere non è piú un mezzo, ma pena — e se si vuole, invece, che la pena sia un mezzo allora la punizione di ogni delinquente dovrebbe essere definita una cosa ripugnante, ed ogni stato il quale, per mantenersi, fa ricorso a pene quali la morte, o lunga prigionia, adopererebbe mezzi ripugnanti.

Il Catone minore della storia romana ha il privilegio di essere citato da tutti i venditori ambulanti di libertà — lui che piú di ogni altro contribuí a che l'autorità suprema venisse affidata al solo Pompeo, e non per amicizia verso Pompeo, ma perché l'anarchia era il male peggiore; egli si suicidò non perché era tramontata ciò che allora i romani chiamavano ancora libertà, l'anarchia — il partito di Pompeo, al quale egli aderiva, non era infatti che un partito, contrapposto a quello di Cesare — ma per caparbietà, che non volle sottomettersi ad un nemico che aveva odiato ed offeso; la sua morte fu una questione di partito.

Colui dal quale Machiavelli aveva sperato la salvezza d'Italia era, secondo ogni evidenza, il duca di Valentinois, un principe il quale, con l'aiuto di suo zio,[5] ed anche col suo coraggio e con inganni di ogni genere, aveva messo insieme uno stato con i principati dei duchi Orsini, Colonna, di Urbino, ecc., e con le signorie dei baroni romani. Per ciò che riguarda la sua memoria, e quella di suo zio: anche se non si tiene conto di tutte quelle azioni loro attribuite da voci incontrollate, e dall'odio dei loro nemici, la loro memoria, di essi in quanto uomini, è stata bollata a fuoco dalla posterità — ammesso che questa possa presumere di dare, su uomini, un giudizio morale; a rovinare sono stati il duca e suo zio, ma non la loro opera. Sono

---

[5] Alessandro VI non era lo zio, ma il padre di Cesare Borgia. [N.d.C.]

essi ad avere conquistato uno stato al Soglio romano, uno stato della cui esistenza Giulio II seppe ben servirsi, e renderlo temibile, e che sussiste fino al giorno d'oggi.[6]

Machiavelli attribuisce la caduta di Cesare Borgia, oltre che agli errori politici, anche al caso, che lo volle immobilizzato dalla malattia proprio nel momento più decisivo, quello della morte di Alessandro; noi, invece, dobbiamo scorgere, nella sua caduta, una più alta necessità, che non gli consentí di godere dei frutti delle sue azioni, né di utilizzarli per giungere ad una potenza anche maggiore. La natura infatti, come si vede dai suoi vizi, sembra averlo destinato ad uno splendore effimero, e ad essere un mero strumento della fondazione di uno stato; ed inoltre una gran parte della potenza alla quale egli arrivò non si basava su un diritto naturale interiore, e neanche su uno esteriore, ma soltanto sul ramo spurio della dignità ecclesiastica di suo zio.

L'opera del Machiavelli resta una grande testimonianza, che egli rese sia al suo tempo, che alla propria fede, che il destino di un popolo che precipita verso il suo tramonto politico possa essere salvato dall'opera di un genio. Malgrado i fraintendimenti, e l'odio contro il *Principe* del Machiavelli, c'è qualcosa che va notato sul singolare destino di quest'opera: per una sorta di istinto, un futuro monarca che rese manifesta nel modo più chiaro, in tutta la sua vita e in tutte le sue azioni, la dissoluzione dello stato tedesco in stati indipendenti, ha fatto una esercitazione scolastica su questo Machiavelli, e gli ha opposto moralistici luoghi comuni — la cui vanità ha poi dimostrata egli stesso, sia col suo modo di agire che, esplicitamente, nei suoi scritti, quando, per es., nella prefazione alla storia della prima guerra di Slesia, egli nega che i trattati internazionali siano ancora vincolanti quando non corrispondono più all'interesse di uno stato.[7]

---

[6] Si tratta, ovviamente, dello Stato pontificio che Alessandro VI, ma particolarmente il Borgia, contribuirono a rafforzare. [*N.d.C.*]

[7] Riferendosi nuovamente a Federico II, Hegel, nelle guerre combattute dalla Prussia, non vede alcun interesse nazionale, ma solo interessi privati, e le considera quindi come guerre di gabinetto tipiche dell'*ancien régime*. Allude poi allo scritto di Federico *Histoire de mon temps*, e pre-

Ma ci sono anche quei lettori piú sottili, che non potevano non prendere atto della genialità delle opere del Machiavelli, e insieme pensavano in modo troppo morale per approvare i suoi principî: con le migliori intenzioni, e ben decisi a salvarlo, hanno conciliato questa contraddizione in modo davvero franco ed elegante, sostenendo che Machiavelli non aveva affatto pensato sul serio quelle cose, che era tutta una sottile presa in giro, una ironia.[8] Non si può proprio fare a meno di complimentarsi per la loro sottigliezza con questi lettori che colgono cosí bene l'ironia.

La voce di Machiavelli si è dileguata senza produrre alcun risultato.

cisamente all'*Avant-propos*, in cui lo scrittore enuncia — in netto contrasto con quanto aveva sostenuto nell'*Antimachiavelli* — brutali princípi di opportunismo politico. [*N.d.C.*]

[8] Allude ai sostenitori della cosiddetta "obliquità" del Machiavelli, particolarmente in auge nel secondo Settecento. Vedi fra essi l'interpretazione di Alfieri e di Foscolo. [*N.d.C.*]

Il Principe

Nicolaus Maclavellus
ad Magnificum Laurentium Medicem*

Sogliono, el piú delle volte, coloro che desiderano acquistare grazia appresso uno Principe, farsegli incontro con quelle cose che infra le loro abbino piú care, o delle quali vegghino lui piú delettarsi; donde si vede molte volte essere loro presentati cavalli, arme, drappi d'oro, pietre preziose e simili ornamenti degni della grandezza di quelli. Desiderando io, adunque, offerirmi alla Vostra Magnificenzia con qualche testimone della servitú mia verso di quella, non ho trovato, intra la mia suppellettile, cosa quale io abbi piú cara o tanto esístimi quanto la cognizione delle azioni degli uomini grandi, imparata da me con una lunga esperienzia delle cose moderne e una continua lezione delle antique; le quali avendo io con gran diligenzia lungamente escogitate[1] ed esaminate, e ora in uno piccolo volume ridotte, mando alla Magnificenzia Vostra.

E benché io giudichi questa opera indegna della presenzia di quella, tamen[2] confido assai che per sua umanità li debba essere accetta, considerato come da me non gli possa essere fatto maggiore dono che darle facultà a potere in brevissimo tempo intendere tutto quello che io, in tanti anni e con tanti mia disagi e periculi, ho conosciuto e in-

* Niccolò Machiavelli al Magnifico Lorenzo de' Medici. — La datazione della dedica è stata fissata dal Ridolfi tra il settembre del 1515 e il settembre del 1516. Quanto a Lorenzo (1492-1519), figlio di Piero e nipote di Leone X, tenne il dominio di Firenze dopo il 1513. Nel 1516 divenne duca d'Urbino, essendo stato il ducato tolto ai Della Rovere da Leone X. In precedenza Il Principe era stato dedicato a Giuliano de' Medici, che ripristinò nel 1512 la signoria medicea in Firenze.
[1] escogitate: scoperte mediante la lettura e l'investigazione. Dal lat. excogito.
[2] della presenzia... tamen: della presenza di Vostra Magnificenza, tuttavia.

teso. La quale opera io non ho ornata né ripiena di clausule ample, o di parole ampullose e magnifiche, o di qualunque altro lenocinio o ornamento estrinseco, con li quali molti sogliono le loro cose descrivere e ornare; perché io ho voluto, o che veruna cosa la onori, o che solamente la varietà della materia e la gravità del subietto la facci grata. Né voglio sia reputata presunzione se uno uomo di basso ed infimo stato ardisce discorrere e regolare[3] e' governi de' principi; perché, cosí come coloro che disegnano e' paesi si pongono bassi nel piano a considerare la natura de' monti e de' luoghi alti, e per considerare quella de' bassi si pongono alti sopra e' monti, similmente, a conoscere bene la natura de' populi, bisogna essere principe, e a conoscere bene quella de' principi, bisogna essere populare.

Pigli, adunque, Vostra Magnificenzia questo piccolo dono con quello animo che io lo mando; il quale se da quella fia diligentemente considerato e letto, vi conoscerà dentro uno estremo mio desiderio, che Lei pervenga a quella grandezza che la fortuna e le altre sue qualità gli promettano. E se Vostra Magnificenzia dallo apice della sua altezza qualche volta volgerà gli occhi in questi luoghi bassi, conoscerà quanto io indegnamente sopporti una grande e continua malignità di fortuna.

[3] *regolare*: dar regole, norme, per.

De principatibus

I.

*Quot sint genera principatuum et quibus modis acquirantur**

Tutti gli stati, tutti e' dominii che hanno avuto e hanno imperio sopra gli uomini, sono stati e sono o republiche o principati. E' principati sono, o ereditarii, de' quali el sangue[1] del loro signore ne sia suto[2] lungo tempo principe, o e' sono nuovi. E' nuovi, o sono nuovi tutti, come fu Milano a Francesco Sforza,[3] o sono come membri aggiunti allo stato ereditario del principe che li acquista, come è el regno di Napoli al re di Spagna.[4] Sono questi dominii cosí acquistati, o consueti a vivere sotto uno principe, o usi ad essere liberi; e acquistonsi o con le armi d'altri o con le proprie, o per fortuna o per virtú.

* I. *Di quante ragioni sieno e' principati, e in che modo si acquistino.*
[1] *el sangue*: la stirpe, la dinastia.
[2] *suto*: stato.
[3] Francesco Sforza (1401-1466), figlio di Muzio Attendolo, condottiero di ventura, sposò Bianca Maria, figlia di Filippo Maria Visconti e, alla morte di questo, nel 1447, si mise al servizio della Repubblica Ambrosiana contro Venezia. Accordatosi poi con la Serenissima, si volse contro Milano che occupò nel 1450. Il possesso della città gli venne definitivamente riconosciuto con la pace di Lodi (1454).
[4] Il Napoletano passò a Ferdinando il Cattolico, l'unificatore della Spagna (1452-1516), nel 1504 con il trattato di Lione, quando Luigi XII si vide costretto a riconoscere il suo insuccesso nell'Italia meridionale.

II.

De principatibus hereditariis*

Io lascerò indrieto el ragionare delle republiche, perché altra volta ne ragionai a lungo.[1] Volterommi solo al principato, e andrò tessendo gli orditi soprascritti, e disputerò come questi principati si possino governare e mantenere.

Dico, adunque, che negli stati ereditarii e assuefatti al sangue del loro principe sono assai minori difficultà a mantenerli che ne' nuovi; perché basta solo non preterire l'ordine de' sua antenati,[2] e di poi temporeggiare con gli accidenti; in modo che, se tale principe è di ordinaria industria,[3] sempre si manterrà nel suo stato, se non è una estraordinaria ed eccessiva[4] forza che ne lo privi; e privato che ne fia, quantunque di sinistro abbi lo occupatore,[5] lo riacquista.

Noi abbiamo in Italia, in exemplis,[6] il duca di Ferrara; il quale non ha retto agli assalti de' Viniziani nello '84, né a quelli di papa Iulio nel '10, per altre cagioni che per essere antiquato in quello dominio.[7] Perché el principe naturale ha minori cagioni e minore necessità di offendere, donde conviene che sia piú amato; e se estraordinarii vizii non lo fanno odiare, è ragionevole che natu-

* II. De' principati ereditarii.
[1] Si accenna ai primi capitoli del I libro dei Discorsi. Sul problema cfr. F. Chabod, Scritti su Machiavelli, Torino, Einaudi, 1964, pp. 249-50; R. Ridolfi, Vita di Niccolò Machiavelli, Firenze, Sansoni, 1969, pp. 234-35 e, per un quadro bibliografico generale, le due Note introduttive di S. Bertelli al Principe e ai Discorsi, nell'edizione da lui curata per la casa editrice Feltrinelli (Milano, 1960).
[2] non preterire... antenati: non trascurare gli ordinamenti dati dai loro predecessori. Il tema è sviluppato in Discorsi, III, 5.
[3] di ordinaria industria: di normali capacità.
[4] estraordinaria ed eccessiva: eccezionale e irresistibile.
[5] quantunque... lo occupatore: appena l'occupatore si imbatte in qualche avversità. Su certe conseguenze legate alla presente osservazione si può vedere Discorsi, I, 25 e 26.
[6] in exemplis: quale esempio.
[7] Allude ad Ercole d'Este (1471-1505), sconfitto dai veneziani nella guerra che si concluse col trattato di Bagnolo (1482-84), e ad Alfonso d'Este che, per essere stato alleato dei francesi nella guerra della Lega Santa (1510-12), venne privato per breve tempo della signoria da Giulio II, il promotore della lega contro il re di Francia.

ralmente sia benevoluto da' sua. E nella antiquità e continuazione del dominio sono spente le memorie e le cagioni delle innovazioni; perché sempre una mutazione lascia lo addentellato per la edificazione dell'altra.

III.

De principatibus mixtis*

Ma nel principato nuovo consistono le difficultà. E prima, se non è tutto nuovo, ma come membro (che si può chiamare tutto insieme quasi misto), le variazioni sua nascono in prima da una naturale difficultà, quale è in tutti e' principati nuovi: le quali sono che li uomini mutano volentieri signore, credendo migliorare; e questa credenza gli fa pigliare l'arme contro a quello; di che e' s'ingannono, perché veggono poi per esperienza avere peggiorato. Il che depende da una altra necessità naturale e ordinaria, quale fa che sempre bisogni offendere quelli di chi si diventa nuovo principe e con gente d'arme e con infinite altre iniurie che si tira dietro el nuovo acquisto; in modo che tu hai inimici tutti quelli che hai offesi in occupare quello principato, e non ti puoi mantenere amici quelli che vi ti hanno messo, per non li potere satisfare in quel modo che si erano presupposto e per non potere tu usare contro a di loro medicine forti, sendo loro obligato; perché sempre, ancora che uno sia fortissimo in sugli eserciti, ha bisogno del favore de' provinciali a intrare in una provincia.[1] Per queste cagioni Luigi XII re di Francia occupò subito Milano, e subito lo perdé; e bastò a torgnene, la prima volta, le forze proprie di Lodovico; perché quelli populi che gli avevano aperte le porte, trovandosi ingannati della opinione loro e di quello fu-

---

* III. *De' principati misti.*
[1] Sono qui accennati almeno due temi di rilievo particolarmente sviluppati nei *Discorsi*: quello, per cosí dire, della "controrivoluzione," per il quale si può vedere *Discorsi*, I, 16 e III, 3-4; e quello della necessità del consenso dei sudditi, tema che domina sparsamente le pagine dei *Discorsi*: cfr. ad es. II, 21 e 23.

turo bene che si avevano presupposto, non potevono sopportare e' fastidii del nuovo principe.[2]

È ben vero che, acquistandosi poi la seconda volta e' paesi rebellati, si perdono con piú difficultà; perché el signore, presa occasione dalla rebellione, è meno respettivo ad assicurarsi con punire e' delinquenti,[3] chiarire e' suspetti, provvedersi nelle parti piú debole. In modo che, se a fare perdere Milano a Francia bastò, la prima volta, uno duca Lodovico che romoreggiassi in su' confini, a farlo di poi perdere, la seconda, gli bisognò avere, contro, el mondo tutto, e che gli eserciti suoi fussino spenti o fugati di Italia[4]; il che nacque dalle cagioni sopradette. Nondimanco, e la prima e la seconda volta, gli fu tolto.

Le cagioni universali della prima si sono discorse; resta ora a dire quelle della seconda, e vedere che remedii lui ci aveva, e quali ci può avere uno che fussi ne' termini sua, per potersi meglio mantenere nello acquisto che non fece Francia. Dico, pertanto, che questi stati, quali acquistandosi si aggiungono a uno stato antiquo di quello che acquista, o e' sono della medesima provincia e della medesima lingua, o non sono. Quando e' sieno, è facilità grande a tenerli, massime quando non sieno usi a vivere liberi; e a possederli securamente basta avere spenta la linea del principe che li dominava, perché nelle altre cose, mantenendosi loro le condizioni vecchie e non vi essendo disformità di costumi, gli uomini si vivono quietamente: come si è visto che ha fatto la Borgogna, la Brettagna, la Guascogna e la Normandia, che tanto tempo sono state con Francia[5]; e benché vi sia qualche disformità di lingua,

[2] Luigi XII, re di Francia (1498-1515), vantando pretese sul ducato di Milano, conquistò la città nel settembre 1499. Ludovico il Moro, duca di Milano, si rifugiò in Germania, ma ritornò ben presto e approfittando di una sollevazione popolare (30 gennaio 1500) costrinse i francesi ad abbandonare Milano. Il 21 marzo 1500 il vecchio regime era restaurato.
[3] delinquenti: coloro che abbiano mancato al proprio dovere di lealtà verso il principe. Dal lat. delinquere.
[4] Riconquistato il ducato nell'aprile del 1500, Luigi XII lo riperdette dodici anni dopo, quando le forze francesi vennero sconfitte da quelle della Lega Santa nonostante la loro vittoria nella battaglia di Ravenna (11 aprile 1512). Il 20 giugno 1512 un governatore papale entrò in Milano. Orchestrata da Giulio II, la Lega Santa univa, contro i francesi, le forze del papa, della Spagna e di Venezia.
[5] La Normandia venne unita alla corona francese nel 1204; la Guascogna nel 1453; la Borgogna nel 1477; la Bretagna nel 1491.

nondimeno e' costumi sono simili, e possonsi fra loro facilmente comportare. E chi le acquista, volendole tenere, debbe avere dua respetti: l'uno, che il sangue del loro principe antiquo si spenga; l'altro, di non alterare né loro legge né loro dazii; talmente che in brevissimo tempo diventa, con loro principato antiquo, tutto uno corpo.[6]

Ma, quando si acquista stati in una provincia disforme di lingua, di costumi e di ordini, qui sono le difficultà; e qui bisogna avere gran fortuna e grande industria a tenerli. E uno de' maggiori remedii e piú vivi sarebbe che la persona di chi acquista vi andassi ad abitare.[7] Questo farebbe piú secura e piú durabile quella possessione: come ha fatto il Turco, di Grecia[8]; il quale, con tutti gli altri ordini osservati da lui per tenere quello stato, se non vi fussi ito ad abitare, non era possibile che lo tenessi. Perché, standovi, si veggono nascere e' disordini, e presto vi puoi rimediare; non vi stando, s'intendono quando e' sono grandi e che non vi è piú remedio. Non è, oltre di questo, la provincia spogliata da' tuoi officiali; satisfannosi e' sudditi del ricorso propinquo al principe[9]; donde hanno piú cagione di amarlo volendo essere buoni, e, volendo essere altrimenti, di temerlo. Chi degli esterni volessi assaltare quello stato, vi ha piú respetto[10]; tanto che, abitandovi,[11] lo può con grandissima difficultà perdere.

L'altro migliore remedio è mandare colonie in uno o in duo luoghi che sieno quasi compedes[12] di quello stato; perché è necessario o fare questo o tenervi assai gente d'arme e fanti. Nelle colonie non si spende molto; e sanza sua spesa, o poca, ve le manda e tiene; e solamente offende[13] coloro a chi e' toglie e' campi e le case per darle a' nuovi abitatori, che sono una minima parte di quello sta-

---

[6] Cfr. *Discorsi*, I, 25 e 26.
[7] Affermazione spesso ripetuta in diversi contesti.
[8] *Grecia*: indica la penisola balcanica, definitivamente conquistata dai turchi nel 1453 con la presa di Costantinopoli.
[9] *satisfannosi... principe*: i sudditi sono soddisfatti della possibilità di adire a un tribunale non lontano dal principe.
[10] *respetto*: timore.
[11] *abitandovi*: il principe, soggetto.
[12] *compedes*: dal lat. *compes*: vincoli, legami. Sul tema delle colonie e dell'uso fattone dai romani, cfr. *Discorsi*, II, 6-7.
[13] *offende*: sogg.: il principe.

to; e quelli ch'egli offende, rimanendo dispersi e poveri, non gli possono mai nuocere, e tutti gli altri rimangono da uno canto inoffesi, e per questo doverrebbono quietarsi, dall'altro paurosi di non errare, per timore che non intervenisse a loro come a quelli che sono stati spogliati. Concludo che queste colonie non costono, sono più fedeli, offendono meno; e gli offesi non possono nuocere, sendo poveri e dispersi, come è detto. Per il che si ha a notare che gli uomini si debbano o vezzeggiare o spegnere[14]; perché si vendicano delle leggieri offese, delle gravi non possono: sí che l'offesa che si fa all'uomo debba essere in modo che la non tema la vendetta. Ma tenendovi, in cambio di colonie, gente d'arme, si spende più assai, avendo a consumare nella guardia tutte le intrate di quello stato; in modo che lo acquisto gli torna perdita; e offende molto più, perché nuoce a tutto quello stato, tramutando con gli alloggiamenti il suo esercito[15]; del quale disagio ognuno ne sente, e ciascuno gli diventa inimico; e sono inimici che gli possono nuocere, rimanendo, battuti, in casa loro. Da ogni parte, dunque, questa guardia è inutile, come quella delle colonie è utile.

Debbe ancora chi è in una provincia disforme come è detto, farsi capo e defensore de' vicini minori potenti,[16] ed ingegnarsi di indebolire e' potenti di quella, e guardarsi che, per accidente alcuno, non vi entri uno forestiere potente quanto lui. E sempre interverrà che vi sarà messo da coloro che saranno in quella mal contenti o per troppa ambizione o per paura: come si vidde già che gli Etoli mis-

---

[14] Tipica massima machiavelliana, che ritorna in diversi contesti. Ad es.: *Discorsi*, II, 23: "e' sudditi si debbono o beneficare o spegnere"; III, 6: "perché gli uomini si hanno o accarezzare o assicurarsi di loro," ecc. Ma quel che più importa, in proposito, è la convinzione, cosí tipica del Machiavelli, della necessità, in certi frangenti, di comportarsi con risolutezza, fuori d'ogni ambiguità e indecisione. In questo modo solevano comportarsi i romani; all'opposto i fiorentini: cfr. ad es. *Discorsi*, I, 38; II, 15. Machiavelli, da tutto ciò, fa anche derivare la norma che vuole, purtroppo, che gli uomini non sappiano mai essere "né al tutto tristi, né al tutto buoni" (*Discorsi*, I, 30), e prendano, in questa perniciosa titubanza, "certe vie del mezzo, che sono dannosissime" (*Discorsi*, I, 26). Al problema è particolarmente dedicato il cap. 27 del primo libro dei *Discorsi*, con l'esempio di Giampaolo Baglioni e di Giulio II.

[15] *tramutando... esercito*: dovendo spostare da una località all'altra il proprio esercito e il suo acquartieramento.

[16] *minori potenti*: meno potenti.

sero e' Romani in Grecia[17]; e in ogni altra provincia che gli entrorono, vi furono messi da' provinciali. E l'ordine delle cose è che, subito che uno forestiere potente entra in una provincia, tutti quelli che sono in essa meno potenti gli aderiscano, mossi da invidia hanno[18] contro a chi è suto potente sopra di loro: tanto che, respetto a questi minori potenti, lui non ha a durare fatica alcuna a guadagnarli, perché subito tutti insieme volentieri fanno uno globo[19] col suo stato che lui vi ha acquistato. Ha solamente a pensare che non piglino troppe forze e troppa autorità; e facilmente può, con le forze sua e col favore loro, sbassare quelli che sono potenti, per rimanere, in tutto, arbitro di quella provincia. E chi non governerà[20] bene questa parte, perderà presto quello arà[21] acquistato; e mentre che lo terrà, vi arà, dentro, infinite difficultà e fastidii.

E' Romani, nelle provincie che pigliorono, osservorono bene queste parti; e' mandorono le colonie, intratennono e' meno potenti sanza crescere loro potenzia, abbassorono e' potenti, e non vi lasciorono prendere reputazione a' potenti forestieri. E voglio mi basti solo la provincia di Grecia per esemplo: furono intratenuti da loro gli Achei e gli Etoli; fu abbassato el regno de' Macedoni; funne cacciato Antioco[22]; né mai e' meriti degli Achei o degli Etoli feciono che permettessino loro accrescere alcuno stato; né le persuasioni di Filippo gli indussono mai ad esserli amici sanza sbassarlo; né la potenzia di Antioco possé fare gli

---

[17] In realtà i romani mossero contro Filippo V di Macedonia, alleato di Annibale. In un secondo tempo la lega etolica si uní a loro (211), mentre quella achea era alleata di Filippo.

[18] *invidia hanno*: avversione che nutrono.

[19] *uno globo*: una cosa sola.

[20] *non governerà*: non saprà disporre, gestire, organizzare.

[21] *quello arà*: ciò che avrà.

[22] "Gli Achei e gli Etoli sono i 'minori potenti' di Grecia; il 'potente' di quella provincia è Filippo V di Macedonia e Antioco di Siria il 'potente forestiere.' Gli avvenimenti, cui il Machiavelli accenna, si svolsero tra il 200 e il 189: dapprima la lotta si svolse tra i Romani, con alleati gli Etoli, e Filippo, sconfitto a Cinocefale (197); dipoi tra i Romani, a cui si unirono la lega achea e Filippo, e Antioco di Siria, sostenuto dagli Etoli. Questa seconda guerra finí con la sconfitta di Antioco (190) e lo scioglimento della lega etolica (189). In quel periodo si palesa la grande politica imperialistica di Roma" (Chabod).

consentissino che tenessi in quella provincia alcuno stato. Perché e' Romani feciono, in questi casi, quello che tutti e' principi savi debbono fare; li quali, non solamente hanno ad avere riguardo agli scandoli presenti, ma a' futuri, e a quelli con ogni industria obviare[23]; perché, prevedendosi discosto, facilmente vi si può rimediare; ma, aspettando che ti si appressino, la medicina non è a tempo, perché la malattia è divenuta incurabile. E interviene di questa, come dicono e' fisici dello etico, che, nel principio del suo male, è facile a curare e difficile a conoscere, ma, nel progresso del tempo, non l'avendo in principio conosciuta né medicata, diventa facile a conoscere e difficile a curare. Cosí interviene nelle cose di stato; perché, conoscendo discosto (il che non è dato se non a uno prudente) e' mali che nascono in quello, si guariscono presto; ma quando, per non li avere conosciuti, si lascino crescere in modo che ognuno li conosce, non vi è piú remedio.[24]

Però e' Romani, vedendo discosto gli inconvenienti, vi rimediorno sempre; e non li lasciorno mai seguire per fuggire una guerra, perché sapevono che la guerra non si leva, ma si differisce a vantaggio di altri; però vollono fare con Filippo e Antioco guerra in Grecia, per non la avere a fare con loro in Italia; e potevano per allora fuggire l'una e l'altra; il che non volsero. Né piacque mai loro quello che tutto dí è in bocca de' savi de' nostri tempi, di godere el benefizio del tempo, ma sí bene quello della virtú e prudenzia loro; perché il tempo si caccia innanzi ogni cosa, e può condurre seco bene come male, e male come bene.[25]

Ma torniamo a Francia, ed esaminiamo se delle cose

[23] *obviare*: ovviare, opporsi, contrastare.
[24] Per alcuni sviluppi di questa osservazione si può vedere *Discorsi*, I, 33.
[25] Su questo importantissimo passo, oltre a quanto detto nella nota 14, sarà utile vedere il capitolo di F. Gilbert, *Machiavelli e il suo tempo*, Bologna, Il Mulino, 1969, dedicato allo studio delle *Idee politiche a Firenze*, per le quali il "godere el benefizio del tempo" — conseguenza della debolezza politica della città — era divenuto un principio fisso. Esso, del resto, emerse in modo particolarmente tragico nel luglio del 1512, quando il guadagnare tempo e il rinviare ogni decisione fu ancora considerata la migliore politica possibile, nonostante le forze pontificie e spagnole stessero già piombando sulla città.

dette ne ha fatto alcuna; e parlerò di Luigi, e non di Carlo[26] come di colui che, per avere tenuta piú lunga possessione in Italia, si sono meglio visti li suoi progressi[27]; e vedrete come egli ha fatto il contrario di quelle cose che si debbano fare per tenere uno stato in una provincia disforme.

El re Luigi fu messo in Italia dalla ambizione de' Viniziani, che volsono guadagnarsi mezzo lo stato di Lombardia per quella venuta.[28] Io non voglio biasimare questo partito preso dal re; perché, volendo cominciare a mettere uno piè in Italia, e non avendo in questa provincia amici, anzi, sendoli, per li portamenti[29] del re Carlo, serrate tutte le porte, fu forzato prendere quelle amicizie che poteva; e sarebbegli riuscito el partito ben preso, quando negli altri maneggi non avessi fatto errore alcuno. Acquistata, adunque, il re la Lombardia, si riguadagnò subito quella reputazione che gli aveva tolta Carlo: Genova cedé; e' Fiorentini gli diventorono amici; marchese di Mantova, duca di Ferrara, Bentivogli, madonna di Furlí, signore di Faenza, di Pesaro, di Rimino, di Camerino, di Piombino, Lucchesi, Pisani, Sanesi, ognuno se gli fece incontro per essere suo amico.[30] E allora posserno[31] considerare e' Viniziani la temerità del partito preso da loro; i quali, per acquistare dua terre in Lombardia, feciono signore, el re, del terzo di Italia.[32]

Consideri ora uno con quanta poca difficultà posseva il re tenere in Italia la sua reputazione, se egli avessi osser-

[26] Carlo VIII (1470-1498).
[27] *progressi*: il suo procedere, lo sviluppo delle sue azioni. Dal lat. *progredior*.
[28] Col trattato di Blois (15 aprile 1499) Venezia prometteva di aiutare militarmente il passo francese; in compenso le si assicurava la cessione del territorio di Cremona e della Ghiara d'Adda.
[29] *portamenti*: comportamenti. Contro Carlo VIII, a Fornovo (6 luglio 1495), si schierò una coalizione composta dalla Spagna, l'imperatore, Venezia, Milano, il papa e altri stati minori italiani.
[30] La campagna francese non fu che una passeggiata militare. Già il 17 settembre 1499, con la resa della cittadella di Milano, la spedizione era sostanzialmente finita. Anche le truppe di San Marco il 10 settembre erano entrate in Cremona.
[31] *posserno*: poterono.
[32] L'affermazione è polemicamente esagerata. Il dominio francese fu esercitato solo su parte del ducato di Milano, giacché, a prescindere da quelle parti di esso che si erano dovute cedere a Venezia, la contea di Bellinzona dovette essere ceduta nel 1503 agli Svizzeri.

vate le regole soprascritte, e tenuti securi e difesi tutti quelli sua amici, li quali, per essere gran numero, e deboli e paurosi, chi della Chiesa, chi de' Viniziani, erano sempre necessitati a stare seco; e per il mezzo loro posseva facilmente assicurarsi di chi ci restava grande. Ma lui non prima fu in Milano, che fece il contrario, dando aiuto a papa Alessandro, perché egli occupassi la Romagna.[33] Né si accorse, con questa deliberazione, che faceva sé debole, togliendosi gli amici e quelli che se gli erano gittati in grembo, e la Chiesa grande, aggiugnendo allo spirituale, che gli dà tanta autorità, tanto temporale.[34] E fatto uno primo errore, fu costretto a seguitare; in tanto che, per porre fine alla ambizione di Alessandro e perché non divenissi signore di Toscana, fu costretto venire in Italia.[35] Non gli bastò avere fatto grande la Chiesa e toltisi gli amici, che, per volere il regno di Napoli, lo divise con il re di Spagna[36]; e dove lui era, prima, arbitro d'Italia, e' vi misse uno compagno, a ciò che gli ambiziosi di quella provincia e mal contenti di lui avessino dove ricorrere; e dove posseva lasciare in quello regno uno re suo pensionario,[37] e' ne lo trasse, per mettervi uno che potessi cacciarne lui.

È cosa veramente molto naturale e ordinaria desiderare di acquistare; e sempre, quando gli uomini lo fanno che possono,[38] saranno laudati o non biasimati; ma quan-

[33] In realtà Luigi XII, preparandosi alla spedizione napoletana, desiderava ottenere (oltre l'accordo con la Spagna) la neutralità delle due potenze italiane cointeressate, Venezia e lo Stato pontificio. Alla repubblica di San Marco vennero garantite le nuove conquiste veneziane nel Napoletano (Gallipoli e Brindisi), mentre il papa fu guadagnato mettendo a disposizione di suo figlio, Cesare Borgia, truppe francesi e spagnole per la sottomissione della Romagna (cfr. cap. XI del *Principe*).

[34] *tanto temporale*: tanto potere temporale. È implicita la polemica del Machiavelli nei confronti dello stato della Chiesa. Cfr. *Discorsi*, I, 12.

[35] Approfittando della ribellione di Valdichiana e di Arezzo, Cesare Borgia, nel 1502, tentò di attaccare Firenze e ne venne distornato dalle truppe francesi. Luigi XII, tuttavia, scese in Italia per preparare la spedizione di Napoli e non per il Borgia.

[36] Con il trattato di Granata dell'11 novembre 1500. La Francia si riservava soltanto il possesso della città di Napoli, della Terra di Lavoro e degli Abruzzi, mentre la Puglia e la Calabria dovevano essere date alla Spagna.

[37] Il re di Napoli Federico I d'Aragona (1496-1501), che sarebbe rimasto tributario di Luigi XII.

[38] *lo fanno che possono*: lo fanno in quanto possono.

do non possono e vogliono farlo in ogni modo, qui è lo errore e il biasimo. Se Francia, adunque, posseva con le forze sua assaltare Napoli, doveva farlo; se non poteva, non doveva dividerlo. E se la divisione fece, co' Viniziani, di Lombardia, meritò scusa per avere con quella messo el piè in Italia; questa merita biasimo, per non essere escusata da quella necessità.

Aveva, dunque, Luigi fatto questi cinque errori: spenti e' minori potenti; acresciuto in Italia potenzia a uno potente; messo in quella uno forestiere potentissimo; non venuto ad abitarvi; non vi messe colonie. E' quali errori ancora, vivendo lui, possevano non lo offendere, se non avessi fatto el sesto: di torre lo stato a' Viniziani[39]; perché, quando e' non avessi fatto grande la Chiesa, né messo in Italia Spagna, era ben ragionevole e necessario abbassarli; ma avendo preso quelli primi partiti, non doveva mai consentire alla ruina loro: perché, sendo quelli potenti, arebbono sempre tenuti gli altri discosto dalla impresa di Lombardia, sí perché e' Viniziani non vi arebbono consentito sanza diventarne signori loro; sí perché gli altri non arebbono voluto torla a Francia per darla a loro; e andare a urtarli tutti e dua non arebbono avuto animo. E se alcuno dicesse: il re Luigi cedé ad Alessandro la Romagna e a Spagna il Regno[40] per fuggire una guerra, respondo, con le ragioni dette di sopra: che non si debbe mai lasciare seguire uno disordine per fuggire una guerra; perché la non si fugge, ma si differisce a tuo disavvantaggio. E se alcuni altri allegassino la fede che il re aveva obligata al papa, di fare per lui quella impresa per la resoluzione del suo matrimonio e il cappello di Roano,[41] respondo con quello che per me di sotto si dirà circa la fede de' principi e come la si debbe osservare.[42] Ha perduto,

[39] Entrando nella lega di Cambrai, che sconfisse i veneziani ad Agnadello (14 maggio 1509). San Marco non solo perdette le terre che aveva acquistato nel ducato milanese, ma venne a trovarsi in una posizione estremamente critica.

[40] Qui e altrove, per antonomasia, il regno di Napoli.

[41] In contropartita per l'aiuto offerto al papa nell'impresa di Romagna, Luigi XII ottenne la dissoluzione del suo matrimonio con Giovanna, sorella di Carlo VIII e il cappello cardinalizio per George d'Amboise, arcivescovo di Rouen e consigliere e ispiratore del re.

[42] Nel cap. XVIII. E cfr. anche *Discorsi*, III, 40; II, 13; III, 42.

adunque, il re Luigi la Lombardia per non avere osservato alcuno di quelli termini osservati da altri che hanno preso provincie e volutole tenere. Né è miracolo alcuno questo, ma molto ordinario e ragionevole. E di questa materia parlai a Nantes con Roano,[43] quando il Valentino (che cosí era chiamato popularmente Cesare Borgia, figliuolo di papa Alessandro) occupava la Romagna; perché, dicendomi el cardinale di Roano che gli Italiani non si intendevano della guerra, io gli risposi che e' Franzesi non si intendevano dello stato; perché, se se n'intendessono, non lascerebbono venire la Chiesa in tanta grandezza. E per esperienza si è visto che la grandezza, in Italia, di quella e di Spagna è stata causata da Francia, e la ruina sua causata da loro. Di che si cava una regola generale, la quale mai o raro falla: che chi è cagione che uno diventi potente, rovina; perché quella potenzia è causata da colui o con industria o con forza, e l'una e l'altra di queste due è sospetta a chi è diventato potente.[44]

IV.

Cur Darii regnum quod Alexander
occupaverat a successoribus suis
post Alexandri mortem non defecit*

Considerate le difficultà le quali si hanno a tenere uno stato di nuovo acquistato, potrebbe alcuno maravigliarsi donde nacque che Alessandro Magno diventò signore della Asia in pochi anni[1] e, non l'avendo appena occupata, morí; donde pareva ragionevole che tutto quello stato si rebellassi; nondimeno e' successori di Alessandro se lo

---

[43] Nel corso della prima legazione in Francia (novembre 1500). E cfr. la lettera del Machiavelli ai Dieci del 21 novembre 1500, in N. Machiavelli, *Legazioni. Commissarie. Scritti di governo*, a c. di F. Chiappelli, Laterza, Bari, 1971, vol. I, p. 458.

[44] In termini piú generali, il problema è affrontato anche in *Discorsi*, I, 46.

* IV. *Per qual cagione il regno di Dario, il quale da Alessandro fu occupato, non si ribellò da' sua successori dopo la morte di Alessandro.*
[1] Dal 334 al 327 a.C.

mantennono; e non ebbono, a tenerlo, altra difficultà che quella che intra loro medesimi, per ambizione propria, nacque.[2] Respondo come e' principati de' quali si ha memoria si trovano governati in dua modi diversi: o per uno principe e tutti gli altri servi, e' quali come ministri, per grazia e concessione sua, aiutano governare quello regno; o per uno principe e per baroni, e' quali, non per grazia del signore, ma per antiquità di sangue, tengano quel grado. Questi tali baroni hanno stati e sudditi proprii, li quali li riconoscono per signori e hanno in loro naturale affezione. Quegli stati che si governano per uno principe e per servi, hanno el loro principe con più autorità, perché in tutta la sua provincia non è alcuno che riconosca per superiore se non lui; e se obediscano alcuno altro, lo fanno come ministro e offiziale,[3] e non gli portano particulare amore.

Gli esempli di queste due diversità di governi sono, ne' nostri tempi, el Turco e il re di Francia. Tutta la monarchia del Turco è governata da uno signore; gli altri sono sua servi; e, distinguendo il suo regno in Sangiachi,[4] vi manda diversi amministratori, e li muta e varia come pare a lui. Ma il re di Francia è posto in mezzo d'una moltitudine antiquata di signori, in quello stato, riconosciuti da' loro sudditi e amati da quelli: hanno le loro preeminenzie[5]; non le può il re torre loro sanza suo pericolo. Chi considera, adunque, l'uno e l'altro di questi stati, troverrà difficultà nello acquistare lo stato del Turco, ma, vinto che sia, facilità grande a tenerlo. Cosí per adverso, troverrete per qualche rispetto più facilità a occupare lo stato di Francia, ma difficultà grande a tenerlo.

Le cagioni della difficultà in potere occupare il regno

[2] Morto Alessandro (323), l'impero fu presto sconvolto dai sette generali che avrebbero dovuto governarlo. Alla fine di queste lotte intestine esso venne frazionato in undici regni, tra i quali quello d'Egitto retto dai Tolomei, quello di Siria governato dai Seleucidi e quello di Macedonia in potere degli Antigoni.
[3] *come ministro e offiziale*: in qualità di ministro e funzionario del principe.
[4] Nell'impero ottomano, fino al 1921, il sangiaccato era la suddivisione di una provincia.
[5] *preeminenzie*: privilegi ereditari. Cfr. quanto Machiavelli scrive nel *Ritratto di cose di Francia*.

del Turco sono per non potere essere chiamato[6] da' principi di quello regno, né sperare, con la rebellione di quelli ch'egli[7] ha d'intorno, potere facilitare la sua impresa. Il che nasce dalle ragioni sopradette; perché, sendogli tutti stiavi e obligati,[8] si possono con piú difficultà corrompere[9]; e quando bene si corrompessino, se ne può sperare poco utile, non potendo quelli tirarsi drieto e' populi per le ragioni assignate. Onde, chi assalta il Turco, è necessario pensare di averlo a trovare tutto unito, e gli conviene sperare piú nelle forze proprie che ne' disordini d'altri. Ma, vinto che fussi, e rotto alla campagna[10] in modo che non possa rifare eserciti, non si ha a dubitare di altro che del sangue del principe[11]; il quale spento, non resta alcuno di chi si abbia a temere, non avendo gli altri[12] credito con li populi: e come el vincitore, avanti la vittoria, non poteva sperare in loro, cosí non debbe, dopo quella, temere di loro.

El contrario interviene ne' regni governati come quello di Francia; perché con facilità tu puoi intrarvi, guadagnandoti alcuno barone del regno; perché sempre si trova de' mal contenti e di quelli che desiderano innovare; costoro, per le ragioni dette, ti possono aprire la via a quello stato e facilitarti la vittoria.[13] La quale di poi, a volerti mantenere, si tira drieto infinite difficultà, e con quelli che ti hanno aiutato e con quelli che tu hai oppressi. Né ti basta spegnere il sangue del principe, perché vi rimangono quelli signori che si fanno capi delle nuove alterazioni; e non li potendo né contentare né spegnere, perdi quello stato qualunque volta venga la occasione.[14]

---

[6] Il soggetto è: colui che voglia occupare l'impero.
[7] *egli*: cioè: il Turco.
[8] *stiavi e obligati*: schiavi e sottomessi.
[9] Sulla possibilità di corrompere gli uomini, cfr. *Discorsi*, I, 42.
[10] *alla campagna*: in battaglia campale.
[11] *del sangue del principe*: della dinastia del principe.
[12] *gli altri*: gli alti funzionari.
[13] Cfr. il *Ritratto di cose di Francia*: "Ecci una altra ragione: che a ogni altro principe circunvicino bastava l'animo assaltare el reame di Francia, e questo, perché sempre aveva o uno duca di Brettagna o vero uno duca di Ghienna o di Borgogna o di Fiandra che li faceva scala e davagli il passo e ricettavalo." Ma subito aggiunge che questo era vero per il passato; non piú per il presente.
[14] Cfr., su questo problema, *Discorsi*, III, 3 e 4; I, 16.

Ora, se voi considerrete di qual natura di governi era quello di Dario, lo troverrete simile al regno del Turco; e però ad Alessandro fu necessario prima urtarlo tutto e torli la campagna[15]; dopo la quale vittoria, sendo Dario morto, rimase ad Alessandro quello stato sicuro per le ragioni di sopra discorse. E li suoi successori, se fussino suti uniti, se lo potevano godere oziosi; né in quel regno nacquono altri tumulti che quelli che loro proprii[16] suscitorno. Ma li stati ordinati[17] come quello di Francia è impossibile possederli con tanta quiete. Di qui nacquono le spesse rebellioni di Spagna, di Francia e di Grecia da' Romani[18] per li spessi principati che erano in quegli stati: de' quali mentre durò la memoria,[19] sempre ne furono e' Romani incerti di quella possessione; ma, spenta la memoria di quelli, con la potenzia e diuturnità[20] dello imperio, ne diventorono securi possessori. E posserno anche, quelli,[21] combattendo di poi infra loro, ciascuno tirarsi drieto parte di quelle provincie, secondo l'autorità vi aveva[22] presa dentro; e quelle,[23] per essere el sangue de' loro antiqui signori spento, non riconoscevano se non e' Romani. Considerato adunque tutte queste cose, non si maraviglierà alcuno della facilità ebbe[24] Alessandro a tenere lo stato di Asia, e delle difficultà che hanno avuto gli altri a conservare lo acquistato, come Pirro[25] e molti. Il che

[15] Costringerlo in luoghi fortificati. Dario III Codomano morí nel 330, ucciso da Besso.
[16] *loro proprii*: essi stessi.
[17] *ordinati*: organizzati.
[18] Allusione alle varie ribellioni insorte contro Roma da parte dei popoli ad essa sottomessi: per la Grecia, quelle della lega etolica e achea, che si risolsero con la distruzione di Corinto (146 a.C.); per la Francia, la grande insurrezione gallica repressa da Cesare (52 a.C.); per la Spagna, le ribellioni dei Celtiberi e dei Lusitani, rispettivamente del 155-54 e 149-33 a.C. Inutile dire che le ragioni di tali rivolte avevano cause ben diverse da quelle, schematiche, qui enunciate dal Machiavelli.
[19] *la memoria*: di quei principati.
[20] *diuturnità*: lunga durata.
[21] *quelli*: i romani: i loro esponenti piú autorevoli. Allude alle guerre civili, nel corso delle quali, sovente, le province parteggiavano per questo o quest'altro contendente.
[22] *l'autorità vi aveva*: l'autorità che vi aveva (ottenuto).
[23] *quelle*: le province.
[24] *ebbe*: che ebbe.
[25] Allusione alle conquiste del re dell'Epiro Pirro (318-272) in Sicilia, tanto folgoranti quanto effimere per essere stato il re abbandonato

non è nato dalla molta o poca virtú del vincitore, ma dalla disformità del subietto.[26]

V.

Quomodo administrandae
sunt civitates vel principatus,
qui, antequam occuparentur,
*suis legibus vivebant**

Quando quelli stati che si acquistano, come è detto, sono consueti a vivere con le loro leggi e in libertà, a volerli tenere ci sono tre modi: el primo, ruinarle[1]; l'altro, andarvi ad abitare personalmente; el terzo, lasciarle vivere con le sue leggi, traendone una pensione[2] e creandovi drento uno stato di pochi[3] che te le conservino amiche. Perché, sendo quello stato[4] creato da quello principe, sa che non può stare sanza l'amicizia e potenzia sua,[5] e ha a fare[6] tutto per mantenerlo; e piú facilmente si tiene una città usa a vivere libera con il mezzo de' suoi cittadini, che in alcuno altro modo, volendola preservare.[7]

In exemplis ci sono li Spartani e li Romani. Li Spartani tennono Atene e Tebe creandovi uno stato di pochi,[8] tamen le riperderno. Li Romani, per tenere Capua, Car-

dagli alleati, e per il risorgere dei sentimenti particolaristici nelle diverse città siciliane.
[26] Cfr. *Discorsi*, III, 8-9; e nota 13 al cap. XXV, qui a p. 131.

* V. *In che modo si debbino governare le città o principati li quali, innanzi fussino occupati, si vivevano con le loro legge.*
[1] *ruinarle*: le città-stato.
[2] *una pensione*: qui e altrove: un tributo.
[3] *uno stato di pochi*: un governo oligarchico.
[4] *quello stato*: il principato misto, composto da uno vecchio e da uno nuovo.
[5] *sua*: del principe.
[6] *ha a fare*: sogg.: il principe.
[7] Cfr. *Discorsi*, I, 26. Si badi tuttavia che è questo il terzo modo; e che il migliore, secondo il Machiavelli (come dice immediatamente), è il primo.
[8] Dopo la guerra del Peloponneso, Sparta, vittoriosa, impose ad Atene un governo oligarchico, quello dei Trenta Tiranni, nel 404, che venne un anno dopo rovesciato da Trasibulo. Anche l'oligarchia imposta da Sparta a Tebe, nel 382, venne rovesciata nel 379 da Pelopida ed Epaminonda.

tagine e Numanzia, le disfeciono, e non le perderono; volsero tenere la Grecia quasi come tennono li Spartani, facendola libera e lasciandoli le sue leggi, e non successe loro: in modo che furono costretti disfare di molte città di quella provincia, per tenerla.[9] Perché, in verità, non ci è modo securo a possederle, altro che la ruina. E chi diviene patrone di una città consueta a vivere libera, e non la disfaccia, aspetti di essere disfatto da quella; perché sempre ha per refugio, nella rebellione, el nome della libertà e gli ordini antichi suoi; li quali né per la lunghezza de' tempi né per benefizii mai si dimenticano.[10] E per cosa che si faccia o si provvegga, se non si disuniscono o dissipano[11] gli abitatori, e' non sdimenticano quel nome né quegli ordini, e subito in ogni accidente vi ricorrono; come fe' Pisa dopo cento anni che ella era suta posta in servitú da' Fiorentini.[12] Ma quando le città o le provincie sono use a vivere sotto uno principe, e quel sangue sia spento, sendo da uno canto usi ad obedire, dall'altro non avendo el principe vecchio, farne uno infra loro non si accordano, vivere liberi non sanno[13]: di modo che sono piú tardi a pigliare le armi, e con piú facilità se li può uno principe guadagnare e assicurarsi di loro. Ma nelle republiche è maggiore vita, maggiore odio, piú desiderio di vendetta; né li lascia, né può lasciare riposare la memoria della antiqua libertà: tale che la piú sicura via è spegnerle o abitarvi.[14]

---

[9] Capua, che si ribellò ai romani nel 216 a.C., non fu in realtà rasa al suolo, ma privata sia dell'indipendenza sia d'ogni autonomia municipale. Cartagine fu distrutta nel 146 e Numanzia nel 133 a.C. Quanto alla Grecia, dopo che T. Q. Flaminino ne aveva proclamato la libertà (a Corinto, nel 196 a.C.), essa fu ridotta a provincia romana cinquant'anni dopo, con la distruzione della stessa Corinto (146).

[10] Su questo tema della "libertà," che torna alla fine del cap., puoi vedere quanto Machiavelli scrive nei *Discorsi*, in parecchi luoghi, e in part. in: I, 58; I, 55; I, 16.

[11] *dissipano*: dal lat.: *dissipo*: disperdono.

[12] Acquistata per denaro nel 1405, Pisa venne perduta dai fiorentini nel 1494, nel corso della discesa di Carlo VIII, e venne riconquistata soltanto nel 1509 dopo una guerra tormentosa, nel corso della quale, come segretario dei Nove della Milizia, ebbe parte tutt'altro che secondaria lo stesso Machiavelli. - *suta*, qui come sempre: stata.

[13] Su questo tema puoi vedere la prima parte del cap. 16° del I libro dei *Discorsi*.

[14] Cfr. *Discorsi*, II, 2; I, 25-26, ecc.

VI.

De principatibus novis
qui armis propriis
et virtute acquiruntur*

Non si maravigli alcuno se, nel parlare che io farò de' principati al tutto nuovi, e di principe e di stato,[1] io addurrò grandissimi esempli; perché, camminando gli uomini quasi sempre per le vie battute da altri, e procedendo nelle azioni loro con le imitazioni, né si potendo le vie di altri al tutto tenere, né alla virtú di quelli che tu imiti aggiugnere,[2] debbe uno uomo prudente intrare sempre per vie battute da uomini grandi, e quelli che sono stati eccellentissimi imitare, acciò che, se la sua virtú non vi arriva, almeno ne renda qualche odore[3]; e fare come gli arcieri prudenti, a' quali parendo el loco dove disegnano ferire[4] troppo lontano, e conoscendo fino a; quanto va la virtú[5] del loro arco, pongono la mira assai piú alta che il loco destinato, non per aggiugnere con la loro freccia a tanta altezza, ma per potere, con lo aiuto di sí alta mira, pervenire al disegno loro.

Dico, adunque, che ne' principati tutti nuovi, dove sia uno nuovo principe, si trova a mantenerli piú o meno difficultà, secondo che piú o meno è virtuoso colui che gli acquista. E perché questo evento di diventare, di privato, principe, presuppone o virtú o fortuna, pare che l'una o l'altra di queste dua cose mitighi, in parte, di molte difficultà[6]; nondimanco, colui che è stato meno in sulla[7] fortuna, si è mantenuto piú.[8] Genera ancora facilità essere il principe costretto, per non avere altri stati, venire perso-

---

* VI. De' principati nuovi che s'acquistano con l'arme proprie e virtuosamente.
[1] e di principe e di stato: sia per dinastia, sia per organizzazione interna.
[2] aggiugnere: pervenire, giungere sino a.
[3] odore: segno, testimonianza.
[4] ferire: dal lat. ferio: colpire.
[5] virtú: qui: potenza, capacità di lancio.
[6] mitighi... di molte difficultà: attenui le difficoltà, le renda meno ostiche.
[7] che è stato meno in sulla: che meno si è avvalso della.
[8] si è mantenuto piú: ha goduto di piú saldo fondamento.

nalmente ad abitarvi. Ma per venire a quelli che, per propria virtú e non per fortuna, sono diventati principi, dico che li piú eccellenti sono Moisè, Ciro, Romulo, Teseo[9] e simili. E benché di Moisè non si debba ragionare, sendo suto uno mero esecutore delle cose che gli erano ordinate da Dio, tamen debbe essere ammirato solum per quella grazia che lo faceva degno di parlare con Dio. Ma consideriamo Ciro e gli altri che hanno acquistato o fondato regni: li troverrete tutti mirabili; e se si considerranno le azioni e ordini loro particulari, parranno non discrepanti[10] da quelli di Moisè, che ebbe sí gran precettore. Ed esaminando le azioni e vita loro, non si vede che quelli avessino altro dalla fortuna che la occasione; la quale dette loro materia a potere introdurvi dentro quella forma parse loro; e sanza quella occasione la virtú dello animo loro si sarebbe spenta, e sanza quella virtú la occasione sarebbe venuta invano.[11]

Era dunque necessario a Moisè trovare il populo d'Isdrael, in Egitto, stiavo e oppresso dagli Egizii, acciò che quelli, per uscire di servitú, si disponessino a seguirlo. Conveniva che Romulo non capissi[12] in Alba, fussi stato esposto[13] al nascere, a volere che diventassi re di Roma e fondatore di quella patria. Bisognava che Ciro trovassi e' Persi

---

[9] Mosè, secondo la tradizione, il legislatore del popolo ebraico e il suo salvatore dalla tirannia egiziana; Romolo, il leggendario fondatore di Roma; Teseo, il mitico re d'Atene. Personaggio storico reale, invece, fu Ciro, fondatore della monarchia persiana. Cfr. la *Ciropedia* di Senofonte, fonte del Machiavelli.

[10] *discrepanti*: dal lat. *discrepo*: dissonanti, in contraddizione.

[11] È qui annunciato quel grande tema del rapporto dialettico tra "corruzione" di uno stato e sua possibile redenzione che risuonerà nel cap. finale del *Principe*: "E se... era necessario, volendo vedere la virtú di Moisè, che il populo d'Isdrael fussi stiavo in Egitto; e a conoscere la grandezza dello animo di Ciro, ch'e' Persi fussino oppressati da' Medi, e la eccellenzia di Teseo che gli Ateniesi fussino dispersi; cosí, al presente, volendo conoscere la virtú di uno spirito italiano, era necessario che la Italia si riducessi nel termine che ella è di presente...". E cosí anche nei *Discorsi*, I, 10, in fine capitolo; e soprattutto in I, 17 e 18. Anzi, questa materia tanto incandescente — la corruzione italiana, la necessità della redenzione, l'occasione per il sorgere della virtú di un uomo — avrebbe spinto Machiavelli a sospendere i *Discorsi* e a scrivere il *Principe*. Cfr. p. 32, n. 1 al cap. II.

[12] *non capissi*: lat. *capio*: non fosse contenuto. Cioè: si trovasse, in Alba, in uno spazio insufficiente.

[13] *esposto*: abbandonato in fasce.

mal contenti dello imperio de' Medi, e li Medi molli ed effeminati per la lunga pace.[14] Non posseva Teseo dimostrare la sua virtú, se non trovava gli Ateniesi dispersi. Queste occasioni, pertanto, feciono questi uomini felici, e la eccellente virtú loro fece quella occasione essere conosciuta; donde la loro patria ne fu nobilitata e diventò felicissima.

Quelli e' quali per vie virtuose, simili a costoro, diventano principi, acquistano el principato con difficultà, ma con facilità lo tengono; e le difficultà che gli hanno nello acquistare el principato, in parte nascono da' nuovi ordini e modi che sono forzati introdurre per fondare lo stato loro e la loro securtà.[15] E debbasi considerare come non è cosa piú difficile a trattare, né piú dubia[16] a riuscire, né piú periculosa a maneggiare, che farsi capo a introdurre nuovi ordini; perché lo introduttore ha per nimici tutti quelli che degli ordini vecchi fanno bene, e ha tepidi defensori tutti quelli che degli ordini nuovi farebbono bene.[17] La quale tepidezza nasce, parte per paura degli avversarii, che hanno le leggi dal canto loro, parte dalla incredulità degli uomini, li quali non credano in verità le cose nuove, se non ne veggano nata una ferma esperienza; donde nasce che qualunque volta quelli che sono nimici hanno occasione di assaltare, lo fanno partigianamente,[18] e quegli altri defendano tepidamente: in modo che insieme con loro si periclita.[19] È necessario pertanto, volendo discorrere[20] bene questa parte, esaminare se questi innovatori stanno per loro medesimi o se dependano da altri; cioè, se per condurre l'opera loro bisogna che preghino,[21] ovvero possono forzare.[22] Nel primo caso capitano sempre male e non conducano cosa alcuna; ma, quando dependono da loro

[14] Dopo un lungo periodo di pace sotto re Astiage, il regno dei Medi venne assoggettato da Ciro. Il suo impero durò sino a Dario III.
[15] Cfr. il già ricordato cap. 26° del primo libro dei *Discorsi*.
[16] *dubia*: incerta.
[17] Cfr. *Discorsi*, I, 16; III, 3-4.
[18] *partigianamente*: dal lat. *partes*: faziosamente.
[19] *si periclita*: dal lat. *periclitor*: si trova in pericolo.
[20] *discorrere*: analizzare (*discurro*).
[21] *preghino*: chiedano aiuti; giungano a compromessi.
[22] *forzare*: affrontare la situazione con forza e con determinazione. Tipico verbo intensivo del Machiavelli.

proprii e possono forzare, allora è che rare volte pericli-
tano. Di qui nasce che tutti e' profeti armati vinsono,
e li disarmati ruinorono. Perché, oltre alle cose dette, la
natura de' populi è varia[23]; ed è facile a persuadere loro
una cosa, ma è difficile fermarli in quella persuasione; e
però conviene essere ordinato in modo che, quando e' non
credono piú, si possa fare loro credere per forza.[24] Moisè,
Ciro, Teseo e Romulo non arebbono possuto fare osservare
loro lungamente le loro costituzioni, se fussino stati disarmati: come ne' nostri tempi intervenne a fra' Girolamo
Savonerola[25]; il quale ruinò ne' sua ordini nuovi, come la
moltitudine cominciò a non credergli; e lui non aveva modo
a tenere fermi quelli che avevano creduto, né a far credere
e' discredenti.[26] Però questi tali hanno nel condursi[27] gran
difficultà, e tutti e' loro periculi sono fra via, e conviene
che con la virtú li superino: ma superati che gli hanno,
e che cominciano ad essere in venerazione, avendo spenti
quelli che di sua qualità li avevano invidia,[28] rimangono
potenti, securi, onorati, felici.

A sí alti esempli io voglio aggiugnere uno esemplo
minore; ma bene arà qualche proporzione[29] con quelli,
e voglio mi basti per tutti gli altri simili: e questo è Ierone
Siracusano.[30] Costui, di privato, diventò principe di Sira-

[23] *varia*: mutevole, volubile.
[24] Qui si accenna alla necessità, per un principe, di poter contare
sulle proprie forze, su una propria organizzazione militare, sulle proprie
possibilità di coartazione. Il tema ritorna spesso nei *Discorsi*. Tipico è
l'elogio che Machiavelli fa dell'istituto della dittatura a Roma: cfr. *Discorsi*, I, 33 e 34; III, 15, oltre, naturalmente, a quello della costituzione
di eserciti nazionali, tema particolarmente affrontato nel secondo libro.
[25] Alla cacciata dei Medici, nel 1494, il Savonarola (1452-1498) ordinò
la repubblica fiorentina secondo una concezione di tipo teocratico. Av-
versato da papa Alessandro VI, fu impiccato ed arso in piazza della Signoria, il 23 maggio 1498. Il suo ascendente sulla folla diminuí gradual-
mente per i progressivi attacchi che contro di lui sferrarono i partigiani
dei Medici, i "palleschi."
[26] *e' discredenti*: coloro che non gli credevano.
[27] *nel condursi*: nel periodo in cui conducono la loro azione rivoluzionaria.
[28] *quelli... invidia*: coloro che invidiavano le loro qualità.
[29] *proporzione*: qui: rapporto.
[30] Gerone II, tiranno di Siracusa (306-215 a.C.). Di modesta origine
per parte di madre, divenne re di Siracusa nel 265, dopo la vittoria ri-
portata sui Mamertini a Messina. Oltre a Giustino, piú sotto citato, la
fonte potrebbe essere Polibio (VII, 8).

cusa; né ancora lui conobbe altro dalla fortuna che la occasione; perché, sendo e' Siracusani oppressi, lo elessono per loro capitano, donde meritò d'essere fatto loro principe. E fu di tanta virtú, etiam[31] in privata fortuna, che chi ne scrive, dice "quod nihil illi deerat ad regnandum praeter regnum."[32] Costui spense la milizia vecchia, ordinò della nuova; lasciò le amicizie antiche, prese delle nuove[33]; e come ebbe amicizie e soldati che fussino suoi, possé in su tale fondamento edificare ogni edifizio: tanto che lui durò assai fatica in acquistare e poca in mantenere.

VII.

De principatibus novis
qui alienis armis
et fortuna acquiruntur*

Coloro e' quali solamente per fortuna diventano, di privati, principi, con poca fatica diventano, ma con assai si mantengono; e non hanno alcuna difficoltà fra via, perché vi volano; ma tutte le difficoltà nascono quando e' sono posti. E questi tali sono quando è concesso ad alcuno uno stato o per danari o per grazia di chi lo concede: come intervenne a molti in Grecia, nelle città di Ionia e di Ellesponto, dove furono fatti principi da Dario,[1] acciò le tenessino per sua securtà e gloria; come erano fatti ancora quegli imperadori che, di privati, per corruzione de' soldati, pervenivano allo imperio.[2] Questi stanno semplicemente in sulla volontà e fortuna di chi lo ha concesso

---

[31] *etiam*: anche.
[32] Giustino, *Epit.*, XXIII, 4, 15: *prorsus ut nihil ei regium deesse praeter regnum videretur*: "tal che nulla gli mancava di regale, tranne il regno."
[33] Cfr. il già piú volte ricordato cap. 26° del primo libro dei *Discorsi*.

* VII. *De' principati nuovi che s'acquistano con le armi e fortuna di altri.*
[1] Si riferisce alla divisione dell'impero persiano in satrapie, operata da Dario I prima di tentare l'espansione in Occidente.
[2] Allude agli imperatori romani divenuti tali per acclamazione dei pretoriani, corrotti a tal fine.

loro, che sono dua cose volubilissime e instabili; e non sanno e non possono tenere quel grado. Non sanno, perché, se non è uomo di grande ingegno e virtú, non è ragionevole[3] che, sendo sempre vissuto in privata fortuna, sappi comandare; non possono, perché non hanno forze che li possino essere amiche e fedeli. Di poi, gli stati che vengano subito,[4] come tutte le altre cose della natura che nascono e crescono presto, non possono avere le barbe[5] e corrispondenzie[6] loro; in modo che el primo tempo avverso le spegne; se già quelli tali, come è detto, che sí de repente[7] sono diventati principi, non sono di tanta virtú che quello che la fortuna ha messo loro in grembo, e' sappino subito prepararsi a conservarlo, e quelli fondamenti che gli altri hanno fatti avanti che diventino principi, li faccino poi.

Io voglio all'uno e all'altro di questi modi detti, circa il diventare principe per virtú o per fortuna, addurre dua esempli stati ne' dí della memoria nostra[8]: e questi sono Francesco Sforza e Cesare Borgia. Francesco, per li debiti mezzi e con una grande sua virtú, di privato diventò duca di Milano[9]; e quello che con mille affanni aveva acquistato, con poca fatica mantenne. Dall'altra parte Cesare Borgia, chiamato dal vulgo duca Valentino,[10] acquistò lo stato con la fortuna del padre, e con quella lo perdé; nonostante che per lui si usassi ogni opera e facessi tutte quelle cose che per uno prudente e virtuoso uomo si doveva fare per mettere le barbe sue in quelli stati che l'arme e fortuna di altri gli aveva concessi. Perché, come di sopra si disse, chi non fa e' fondamenti prima, li potrebbe con una gran virtú farli poi, ancora che si faccino con disagio dello architettore e periculo dello edifizio. Se, adunque, si considerrà

---

[3] *non è ragionevole*: non risponde alla logica delle cose.
[4] *che vengano subito*: che si creino in poco tempo; che si formino rapidamente.
[5] *barbe*: radici.
[6] *corrispondenzie*: ramificazioni.
[7] *de repente*: repentinamente.
[8] *ne' dí... nostra*: nella nostra storia piú recente.
[9] Cfr. n. 3 al cap. I, p. 31.
[10] Cfr. n. 33 al cap. III, p. 40. Cesare Borgia, smesso l'abito cardinalizio, ottenne da Luigi XII la contea di Valence e il titolo di duca di Valentinois nel Delfinato. Fu quindi popolarmente chiamato il Valentino.

tutti e' progressi del duca, si vedrà lui aversi fatti gran fondamenti alla futura potenzia; li quali non iudico superfluo discorrere, perché io non saprei quali precetti mi dare migliori a uno principe nuovo, che lo esempio delle azioni sua: e se gli ordini suoi non li profittorono,[11] non fu sua colpa, perché nacque da una estraordinaria ed estrema malignità di fortuna.

Aveva Alessandro VI, nel volere fare grande el duca suo figliuolo, assai difficultà presenti e future. Prima, e' non vedeva via di poterlo fare signore di alcuno stato che non fussi stato di Chiesa; e volgendosi a torre quello della Chiesa, sapeva che el duca di Milano e Viniziani non gnene consentirebbano[12]; perché Faenza e Rimino erano di già sotto la protezione de' Viniziani. Vedeva, oltre di questo, l'arme di Italia, e quelle in spezie di chi si fussi possuto servire, essere in le mani di coloro che dovevano temere la grandezza del papa: e però non se ne poteva fidare, sendo tutte negli Orsini e Colonnesi e loro complici.[13] Era, adunque, necessario che si turbassino quegli ordini,[14] e disordinare li stati di coloro, per potersi insignorire securamente di parte di quelli. Il che li fu facile, perché trovò e' Viniziani che, mossi da altre cagioni, si erono vòlti a fare ripassare e' Franzesi in Italia; il che non solamente non contradisse, ma lo fe' più facile con la resoluzione del matrimonio antiquo del re Luigi.[15] Passò, adunque, il re in Italia con lo aiuto de' Viniziani e consenso di Alessandro; né prima fu in Milano, che il papa ebbe da lui gente per la impresa di Romagna; la quale gli fu consentita per la reputazione del re.[16] Acquistata, adunque, el duca la Romagna, e sbattuti[17] e' Colonnesi, volendo mantenere quella

[11] li profittorono: gli giovarono.
[12] Milano proteggeva Forlí e Pesaro; i veneziani non potevano consentire un accrescimento del potere papale in Romagna.
[13] Oltre agli Orsini e ai Colonna, i Vitelli di Città di Castello, i Baglioni di Perugia, i Savelli di Roma. Baroni romani e signorotti dell'Italia centrale erano dunque i principali condottieri delle milizie italiane, tutti interessati a che il dominio temporale della Chiesa non si estendesse.
[14] quegli ordini: questa organizzazione, questo stato di cose.
[15] Cfr. n. 41 al cap. III, p. 41. E nota 18 allo stesso cap., p. 39.
[16] Con l'aiuto militare francese, il Valentino iniziò la sua campagna nel novembre del 1499 e la condusse a termine nel gennaio del 1503.
[17] sbattuti: abbattuti.

e procedere piú avanti, lo impedivano dua cose: l'una, l'arme sua che non gli parevano fedeli, l'altra, la volontà di Francia: cioè che l'arme Orsine, delle quali s'era valuto,[18] gli mancassino sotto,[19] e non solamente l'impedissino lo acquistare, ma gli togliessino lo acquistato, e che il re ancora non li facessi el simile. Degli Orsini ne ebbe uno riscontro[20] quando, dopo la espugnazione di Faenza, assaltò Bologna, ché li vidde andare freddi in quello assalto[21]: e circa il re, conobbe l'animo suo quando, preso il ducato di Urbino, assaltò la Toscana; dalla quale impresa el re lo fece desistere.[22] Onde che il duca deliberò non dependere piú dalle arme e fortuna di altri. E la prima cosa, indebolí le parti Orsine e Colonnese in Roma; perché tutti gli aderenti loro che fussino gentili uomini,[23] se li guadagnò, faccendoli suoi gentili uomini e dando loro grandi provvisioni; e onorolli, secondo le loro qualità, di condotte[24] e di governi; in modo che in pochi mesi negli animi loro l'affezione delle parti[25] si spense, e tutta si volse nel duca. Dopo questa, aspettò la occasione di spegnere e' capi Orsini, avendo dispersi quelli di casa Colonna; la quale li venne bene, e lui la usò meglio. Perché, avvedutisi gli Orsini, tardi, che la grandezza del duca e della Chiesa era la loro ruina, feciono una dieta alla Magione,[26] nel Perugino; da quella nacque la rebellione di Urbino e li tumulti di Romagna e infiniti periculi del duca; li quali tutti superò con lo aiuto de' Franzesi. E ritornatogli la reputazione, né si fidando di Francia né di altre forze esterne, per non le

---

[18] *valuto*: avvalso.

[19] *gli mancassino sotto*: gli venissero meno; lo abbandonassero.

[20] *uno riscontro*: un avvertimento, un segnale.

[21] Il Valentino aveva occupato Faenza il 25 aprile 1501; ma poi, per le esitazioni degli Orsini, non gli riuscí di impadronirsi di Bologna e dovette venire a patti con il signore della città Giovanni Bentivoglio.

[22] Cfr. n. 35 al cap. III, p. 40. Urbino fu occupata nel giugno del 1502.

[23] *gentili uomini*: nobili. Un giudizio assai severo su di essi in *Discorsi*, I, 55.

[24] *condotte*: comandi militari.

[25] *l'affezione delle parti*: cioè: il loro sentirsi obbligati alle vecchie fazioni (degli Orsini e dei Colonna).

[26] Il 9 ottobre 1502 fu stipulata una lega contro il Valentino tra gli Orsini, i Bentivoglio, i due Baglioni, Vitellozzo Vitelli, Oliverotto da Fermo e Antonio da Venafro. La dieta ebbe luogo alla Magione, villaggio presso Perugia.

avere a cimentare, si volse agli inganni. E seppe tanto dissimulare l'animo suo, che gli Orsini medesimi, mediante el signor Paulo,[27] si riconciliorono seco; con il quale el duca non mancò d'ogni ragione di offizio per assicurarlo, dandogli danari, veste e cavalli; tanto che la simplicità loro li condusse a Sinigaglia nelle sue mani.[28] Spenti, adunque, questi capi, e ridotti li partigiani loro amici sua, aveva il duca gittati assai buoni fondamenti alla potenzia sua, avendo tutta la Romagna con il ducato di Urbino, parendogli, massime, aversi acquistata amica la Romagna e guadagnatosi tutti quelli popoli, per avere cominciato a gustare el bene essere loro.[29]

E perché questa parte è degna di notizia e da essere imitata da altri, non la voglio lasciare indrieto. Preso che ebbe il duca la Romagna, e trovandola suta comandata da signori impotenti, li quali piú presto avevano spogliato e' loro sudditi che corretti,[30] e dato loro materia di disunione, non di unione, tanto che quella provincia era tutta piena di latrocinii, di brighe e di ogni altra ragione di insolenzia, iudicò fussi necessario, a volerla ridurre pacifica e obediente al braccio regio, darli buon governo. Però vi prepose messer Remirro de Orco,[31] uomo crudele ed espedito, al quale dette pienissima potestà. Costui in poco tempo la ridusse pacifica e unita, con grandissima reputazione. Di poi iudicò el duca non essere necessario sí eccessiva autorità,

[27] Paolo Orsini, che nell'incontro di Imola (25 ottobre 1502) si riconciliò col Valentino.

[28] Dopo la riconciliazione, gli Orsini e i Vitelli occuparono Senigallia per conto del Valentino. Il quale, entrato il 31 dicembre 1502 nella città, accompagnato tra l'altro dallo stesso Machiavelli, fece il giorno stesso strangolare Vitellozzo Vitelli e Oliverotto da Fermo e, pochi giorni dopo, Paolo Orsini e il duca di Gravina Orsini. Cfr. *Descrizione del modo tenuto dal duca Valentino nello ammazzare Vitellozzo Vitelli, Oliverotto da Fermo, il signor Pagolo e il duca di Gravina Orsini*. E cfr. anche la II *Legazione al Valentino*, in N. Machiavelli, *Legazioni. Commissarie. Scritti di governo*, cit., vol. II, pp. 192 sgg.

[29] Questo importante rilievo sull'azione positiva del Valentino in Romagna — la liquidazione dell'anarchia feudale come è detto subito dopo — è ripreso in *Discorsi*, III, 29.

[30] *corretti*: da *corrigo*: ben governati.

[31] Ramiro de Lorqua, creato dal Valentino luogotenente generale in Romagna nel 1501. Come è detto poco sotto, venne imprigionato dallo stesso Valentino il 22 dicembre 1502 e messo a morte la mattina del 26. E cfr. la lettera del Machiavelli a Francesco Vettori del 31 gennaio 1515.

perché dubitava non divenissi odiosa; e preposevi uno iudicio civile[32] nel mezzo della provincia, con uno presidente eccellentissimo,[33] dove ogni città vi aveva lo avvocato suo. E perché conosceva le rigorosità passate averli generato qualche odio, per purgare gli animi di quelli populi e guadagnarseli in tutto, volle mostrare che, se crudeltà alcuna era seguíta, non era nata da lui, ma dalla acerba natura del ministro. E presa sopr'a questo occasione,[34] lo fece a Cesena, una mattina, mettere in dua pezzi in sulla piazza, con uno pezzo di legno e uno coltello sanguinoso a canto. La ferocità del quale spettaculo fece quelli populi in uno tempo rimanere satisfatti e stupidi.[35]

Ma torniamo donde noi partimmo. Dico che, trovandosi il duca assai potente e in parte assicurato de' presenti periculi, per essersi armato a suo modo e avere in buona parte spente quelle arme che, vicine, lo potevano offendere, gli restava, volendo procedere con lo acquisto, il respetto[36] del re di Francia; perché conosceva come dal re, il quale tardi si era accorto dello errore suo, non li sarebbe sopportato. E cominciò per questo a cercare di amicizie nuove, e vacillare[37] con Francia, nella venuta che feciono gli Franzesi verso el regno di Napoli contro agli Spagnuoli che assediavono Gaeta.[38] E l'animo suo era assicurarsi di loro; il che gli sarebbe presto riuscito, se Alessandro viveva.

E questi furono e' governi suoi quanto alle cose presenti. Ma quanto alle future, lui aveva a dubitare,[39] in prima, che uno nuovo successore alla Chiesa non li fussi amico e cercassi tòrli[40] quello che Alessandro gli aveva dato.

[32] *uno iudicio civile*: un tribunale civile.
[33] Antonio Ciocchi da Monte.
[34] Il pretesto fu che Ramiro de Lorqua avesse fatto incetta di viveri per conto suo e che fosse d'accordo con i congiurati della Magione.
[35] *stupidi*: stupiti. E cfr. *Discorsi*, I, 16, per la parte che tratta del desiderio del popolo di vendicarsi dei tiranni.
[36] *respetto*: guardarsi da (dal lat. *respectus*).
[37] *vacillare*: nella fedeltà. Locuzione latina.
[38] Ridotti a mal partito dagli spagnuoli, i francesi — nella guerra per la spartizione del regno di Napoli — dovettero ritirarsi a Gaeta (che capitolò il 1 gennaio 1504). In questa situazione il papa Alessandro VI iniziò trattative coi vincitori per una comune impresa contro la Toscana e il Milanese. Ma morí improvvisamente il 18 agosto 1503.
[39] *a dubitare*: a temere che.
[40] *tòrli*: togliergli.

Di che pensò assicurarsi in quattro modi: prima, di spegnere tutti e' sangui di quelli signori che lui aveva spogliati, per torre al papa quella occasione: secondo, di guadagnarsi tutti e' gentili uomini di Roma, come è detto, per potere con quelli tenere el papa in freno: terzo, ridurre el Collegio[41] piú suo che poteva: quarto, acquistare tanto imperio, avanti che il papa morissi, che potessi per se medesimo resistere a uno primo impeto. Di queste quattro cose, alla morte di Alessandro ne aveva condotte tre; la quarta aveva quasi per condotta; perché de' signori spogliati ne ammazzò quanti ne possé aggiugnere,[42] e pochissimi si salvorono; e' gentili uomini romani si aveva guadagnati, e nel Collegio aveva grandissima parte: e, quanto al nuovo acquisto, aveva disegnato diventare signore di Toscana, e possedeva di già Perugia e Piombino, e di Pisa aveva presa la protezione.[43] E come non avessi avuto ad avere respetto a Francia (ché non gliene aveva ad avere piú, per essere di già e' Franzesi spogliati del Regno dagli Spagnoli, di qualità che[44] ciascuno di loro era necessitato comperare l'amicizia sua), e' saltava in Pisa. Dopo questo, Lucca e Siena cedeva subito, parte per invidia de' Fiorentini, parte per paura; e' Fiorentini non avevano remedio. Il che se li fusse riuscito (che gli riusciva l'anno medesimo che Alessandro morí), si acquistava tante forze e tanta reputazione, che per se stesso si sarebbe retto, e non sarebbe piú dependuto dalla fortuna e forze di altri, ma dalla potenzia e virtú sua. Ma Alessandro morí dopo cinque anni ch'egli aveva cominciato a trarre fuora la spada.[45] Lasciollo con lo stato di Romagna solamente assolidato,[46] con tutti gli altri in aria, intra dua potentissimi eserciti inimici,[47] e malato a morte.

[41] *Collegio*: dei cardinali.
[42] *aggiugnere*: raggiungere.
[43] Piombino dal settembre del 1501, Perugia dal gennaio 1503. All'epoca stava trattando per la signoria di Pisa.
[44] *di qualità che*: di modo che.
[45] Creato Gonfaloniere di Santa Chiesa nel 1498, il Borgia cominciò la sua impresa l'anno seguente. Papa Alessandro, come s'è detto, morí il 18 agosto 1503. Il suo successore, Pio III, morí a sua volta il 18 ottobre. Il 31 ottobre venne eletto Giulio II.
[46] *assolidato*: consolidato.
[47] Gli spagnoli e i francesi. Anche Cesare Borgia era gravemente ammalato.

Ed era nel duca tanta ferocia[48] e tanta virtú, e sí bene conosceva come gli uomini si hanno a guadagnare o perdere,[49] e tanto erano validi e' fondamenti che in sí poco tempo si aveva fatti, che, se lui non avessi avuto quegli eserciti addosso, o lui fussi stato sano, arebbe retto a ogni difficultà. E ch'e' fondamenti sua fussino buoni, si vidde: ché la Romagna lo aspettò piú di uno mese; in Roma, ancora che mezzo vivo, stette sicuro; e benché Baglioni, Vitelli e Orsini venissino in Roma, non ebbono seguito contro di lui: possé fare, se non chi e' volle, papa, almeno che non fussi chi non voleva.[50] Ma se nella morte di Alessandro lui fussi stato sano, ogni cosa gli era facile. E lui mi disse,[51] ne' dí che fu creato Iulio II, che aveva pensato a ciò che potessi nascere, morendo el padre, e a tutto aveva trovato remedio, eccetto che non pensò mai, in su la sua morte, di stare ancora lui per morire.

Raccolte io adunque tutte le azioni del duca, non saprei reprenderlo; anzi mi pare, come ho fatto, di preporlo imitabile a tutti coloro che per fortuna e con l'arme d'altri sono ascesi allo imperio. Perché lui avendo l'animo grande e la sua intenzione[52] alta, non si poteva governare altrimenti; e solo si oppose alli sua disegni la brevità della vita di Alessandro e la malattia sua. Chi, adunque, iudica necessario nel suo principato nuovo assicurarsi de' nimici, guadagnarsi degli amici, vincere o per forza o per fraude, farsi amare e temere da' populi, seguire e reverire da' soldati, spegnere quelli che ti possono o debbono offendere, innovare con nuovi modi gli ordini antiqui, essere severo e grato, magnanimo e liberale, spegnere la milizia infedele, crea-

[48] *ferocia*: fierezza, indomito valore (lat. *ferocia*).
[49] Cfr. n. 14 al cap. III, p. 36.
[50] Il Della Rovere (Giulio II) era stato fiero avversario dei Borgia. Poco prima del conclave, tuttavia, si era accordato col Valentino per avere i voti dei cardinali da lui controllati. Gli aveva promesso, in compenso, di crearlo Gonfaloniere generale della Chiesa e di reintegrarlo nello stato di Romagna. Le promesse non furono poi mantenute.
[51] Nell'imminenza del conclave la Signoria fiorentina aveva inviato il Machiavelli a Roma: cfr. *I Legazione a Roma*, in N. Machiavelli, *Legazioni e commissarie*, a c. di S. Bertelli, Milano, Feltrinelli, 1964, vol. II, pp. 563 sgg. — Cfr. anche F. Chabod, *Scritti su Machiavelli*, cit., pp. 311-15.
[52] *intenzione*: proposito.

re della nuova, mantenere le amicizie de' re e de' principi in modo che ti abbino o a beneficare con grazia o offendere con respetto,[53] non può trovare e' piú freschi esempli che le azioni di costui. Solamente si può accusarlo nella creazione di Iulio pontefice, nella quale lui ebbe mala elezione[54]; perché, come è detto, non potendo fare uno papa a suo modo, e' poteva tenere[55] che uno non fussi papa; e non doveva mai consentire al papato[56] di quelli cardinali che lui avessi offesi, o che, diventati papi, avessino ad avere paura di lui.[57] Perché gli uomini offendono o per paura o per odio. Quelli che lui aveva offesi erano, infra gli altri, San Piero ad Vincula, Colonna, San Giorgio, Ascanio[58]; tutti gli altri, divenuti papi, aveano a temerlo, eccetto Roano[59] e li Spagnuoli: questi per coniunzione[60] e obligo; quello per potenzia, avendo coniunto seco il regno di Francia. Pertanto el duca, innanzi a ogni cosa, doveva creare papa uno spagnolo, e, non potendo, doveva consentire che fussi Roano e non San Piero ad Vincula. E chi crede che ne' personaggi grandi e' benefizii nuovi faccino dimenticare le iniurie vecchie, s'inganna.[61] Errò, adunque, el duca in questa elezione; e fu cagione dell'ultima ruina sua.

[53] Questo catalogo di questioni relative alla conquista e al mantenimento del potere, e implicanti diverse scelte nelle diverse circostanze, verrà discusso tanto nel *Principe* quanto nei *Discorsi*.

[54] *nella quale... elezione*: che risultò per lui nefasta. E ne spiega sotto le ragioni.

[55] *tenere*: fare in modo; ottenere.

[56] *consentire al papato*: consentire che salisse al papato.

[57] *avessino ad avere paura di lui*: avessero a temerlo (e quindi a osteggiarlo).

[58] Rispettivamente: Giuliano della Rovere, poi Giulio II; Giovanni Colonna; Raffaello Riario e Ascanio Sforza. Erano tutti nemici dei Borgia.

[59] George d'Amboise, cardinale e arcivescovo di Rouen.

[60] *coniunzione*: vincolo di parentela. I Borgia erano originari dell'Aragona.

[61] I "benefizii nuovi" erano consistiti nel pacchetto di voti assicurati al Della Rovere dal Valentino e dai cardinali spagnoli. E cfr. *Discorsi*, III, 4: "si può ricordare ad ogni potente, che mai le ingiurie vecchie furono cancellate da' benefizii nuovi."

VIII.

De his qui per scelera
ad principatum pervenere*

Ma perché di privato si diventa principe ancora in dua modi, il che non si può al tutto o alla fortuna o alla virtú attribuire, non mi pare da lasciarli indrieto, ancora che dell'uno si possa piú diffusamente ragionare dove si trattassi delle republiche.[1] Questi sono, quando o per qualche via scellerata e nefaria si ascende al principato, o quando uno privato cittadino con il favore degli altri suoi cittadini diventa principe della sua patria. E parlando del primo modo, si mostrerrà con dua esempli, l'uno antiquo, l'altro moderno, sanza intrare altrimenti ne' meriti di questa parte, perché io iudico che basti, a chi fussi necessitato, imitargli.

Agatocle Siciliano,[2] non solo di privata ma di infima e abietta fortuna, divenne re di Siracusa. Costui, nato di uno figulo,[3] tenne sempre, per li gradi della sua età, vita scellerata: nondimanco, accompagnò le sue scelleratezze con tanta virtú di animo e di corpo, che, voltosi alla milizia, per li gradi di quella pervenne ad essere pretore di Siracusa. Nel quale grado sendo costituito, e avendo deliberato diventare principe e tenere con violenzia e sanza obligo d'altri quello che d'accordo gli era suto concesso, e avuto di questo suo disegno intelligenzia con Amilcare cartaginese,[4] il quale con gli eserciti militava in Sicilia, raunò una mattina il populo e il Senato di Siracusa, come se egli avessi

---

* VIII. *Di quelli che per scelleratezze sono pervenuti al principato.*
[1] Allude al "principato civile" di cui al cap. seguente, problema che richiama da vicino la struttura repubblicana dello stato.
[2] Agatocle (360-289 a.C.), tiranno di Siracusa. Dopo essersi impadronito del potere con un colpo di mano (316), cercò di unificare la Sicilia greca e di allontanare dall'isola la minaccia dei cartaginesi. Portò contro di loro la guerra in Africa, ma le alterne vicende di essa e lo scoppio della guerra civile in patria lo indussero alla pace. La morte, sopravvenuta dopo un periodo dedicato al risanamento militare e finanziario dello stato, lo colse durante i preparativi per una nuova guerra contro Cartagine. Il suo impero cadde nell'anarchia. La fonte di Machiavelli è qui Giustino, *Epit.*, XXII, 1-2, spesso seguito alla lettera.
[3] *figulo*: vasaio.
[4] Amilcare Barca, comandante delle milizie cartaginesi in Sicilia.

avuto a deliberare cose pertinenti alla republica; e, ad uno cenno ordinato, fece da' sua soldati uccidere tutti li senatori e li piú ricchi del popolo; li quali morti, occupò e tenne il principato di quella città sanza alcuna controversia[5] civile. E benché da' Cartaginesi fussi due volte rotto e demum[6] assediato, non solum possé defendere la sua città, ma, lasciato parte delle sue genti alla difesa della obsidione,[7] con le altre assaltò l'Affrica, e in breve tempo liberò Siracusa dallo assedio e condusse e' Cartaginesi in estrema necessità: e furono necessitati accordarsi con quello, essere contenti della possessione di Affrica, e ad Agatocle lasciare la Sicilia.[8] Chi considerassi, adunque, le azioni e vita di costui, non vedrà cose, o poche, le quali possa attribuire alla fortuna; con ciò sia cosa, come di sopra è detto, che, non per favore d'alcuno, ma per li gradi della milizia, li quali con mille disagi e pericoli si aveva guadagnati, pervenissi al principato, e quello di poi con tanti partiti animosi e periculosi mantenessi. Non si può ancora[9] chiamare virtú ammazzare e' sua cittadini, tradire gli amici, essere sanza fede, sanza pietà, sanza religione[10]; li quali modi possono fare acquistare imperio, ma non gloria. Perché, se si considerassi la virtú di Agatocle nello entrare e nello uscire de' periculi, e la grandezza dello animo suo nel sopportare e superare le cose avverse, non si vede perché egli abbia ad essere iudicato inferiore a qualunque eccellentissimo capitano; nondimanco, la sua efferata crudeltà e inumanità, con infinite scelleratezze, non consentono che sia infra gli eccellentissimi uomini celebrato. Non si può, adunque, attribuire alla fortuna o alla virtú quello che sanza l'una e l'altra fu da lui conseguito.

Ne' tempi nostri, regnante Alessandro VI, Liverotto firmano,[11] sendo piú anni innanzi, rimaso, piccolo, sanza

---

    [5] *controversia*: contestazione, disordine.
    [6] *e demum*: e da ultimo. Durante la guerra contro i cartaginesi, Agatocle venne sconfitto a Ecnomo (310) e assediato in Siracusa.
    [7] *obsidione*: assedio (*obsidio*).
    [8] Non tutta, come afferma il Machiavelli, ma la Sicilia greca.
    [9] *ancora*: d'altra parte.
    [10] *religione*: scrupolo (*religio*).
    [11] Oliverotto Euffreducci da Fermo. Il 26 dicembre divenne signore di Fermo nel modo qui raccontato da Machiavelli e l'anno dopo, il 31 di-

padre fu da uno suo zio materno, chiamato Giovanni Fogliani, allevato, e ne' primi tempi della sua gioventú dato a militare sotto Paulo Vitelli,[12] acciò che, ripieno di quella disciplina, pervenissi a qualche eccellente grado di milizia. Morto di poi Paulo, militò sotto Vitellozzo[13] suo fratello; e in brevissimo tempo, per essere ingegnoso, e della persona e dello animo gagliardo, diventò el primo uomo della sua milizia. Ma parendogli cosa servile lo stare con altri, pensò, con lo aiuto di alcuni cittadini di Fermo a' quali era piú cara la servitú che la libertà della loro patria, e con il favore vitellesco, di occupare Fermo; e scrisse a Giovanni Fogliani come, sendo stato piú anni fuori di casa, voleva venire a vedere[14] lui e la sua città, e in qualche parte riconoscere[15] el suo patrimonio; e perché[16] non si era affaticato per altro che per acquistare onore, acciò che e' suoi cittadini vedessino come non aveva speso el tempo in vano, voleva venire onorevole[17] e accompagnato da cento cavalli[18] di sua amici e servidori; e pregavalo fussi contento ordinare che da' Firmani fussi ricevuto onoratamente; il che non solamente tornava onore a lui, ma a sé proprio, sendo suo allievo. Non mancò, pertanto, Giovanni di alcuno offizio debito[19] verso el nipote; e fattolo ricevere da' Firmani onoratamente, si alloggiò[20] nelle case sua: dove, passato alcuno giorno, e atteso ad ordinare secretamente quello che alla sua futura sceleratezza era necessario, fece uno convito solennissimo, dove invitò Giovanni Fogliani e tutti li primi uomini[21] di Fermo. E consumate che furono le vivande e tutti gli altri intrattenimenti che in simili conviti si usano, Li-

cembre, venne fatto ammazzare dal Valentino in Senigallia. Cfr. *Descrizione del modo tenuto dal duca Valentino* ecc., cit. (n. 28 al cap. VII, p. 56).
[12] Condottiero e capitano generale dei fiorentini nella guerra di Pisa. Giustiziato a Firenze, reo di tradimento, il 1° ottobre 1499.
[13] Vittima anch'egli del Valentino a Senigallia.
[14] *vedere*: visitare.
[15] *in qualche parte riconoscere*: in certo modo esaminare.
[16] *perché*: dal momento che.
[17] *onorevole*: con ogni onore.
[18] *cavalli*: qui e altrove: soldati a cavallo.
[19] *offizio debito*: cortesia dovuta.
[20] Oliverotto, soggetto.
[21] *li primi uomini*: i maggiorenti.

verotto, ad arte, mosse certi ragionamenti gravi, parlando della grandezza di papa Alessandro e di Cesare suo figliuolo, e delle imprese loro. A' quali ragionamenti rispondendo Giovanni e gli altri, lui a un tratto si rizzò, dicendo quelle essere cose da parlarne in loco piú secreto; e ritirossi in una camera, dove Giovanni e tutti gli altri cittadini gli andorono drieto. Né prima furono posti a sedere, che de' luoghi secreti di quella uscirono soldati, che ammazzorono Giovanni e tutti gli altri. Dopo il quale omicidio, montò Liverotto a cavallo, e corse la terra,[22] e assediò nel palazzo el supremo magistrato[23]; tanto che, per paura, furono costretti obedirlo, e fermare[24] uno governo del quale si fece principe. E morti tutti quelli che, per essere mal contenti, lo potevono offendere, si corroborò con nuovi ordini civili e militari; in modo che, in spazio d'uno anno che tenne el principato, non solamente lui era sicuro nella città di Fermo, ma era diventato pauroso[25] a tutti e' sua vicini. E sarebbe suta la sua espugnazione difficile come quella di Agatocle, se non si fussi lasciato ingannare da Cesare Borgia, quando a Sinigaglia, come di sopra si disse,[26] prese gli Orsini e Vitelli; dove, preso ancora lui, in uno anno dopo el commisso parricidio, fu, insieme con Vitellozzo, il quale aveva avuto maestro delle virtú e scelleratezze sua, strangolato.

Potrebbe alcuno dubitare donde nascessi che Agatocle e alcuno simile, dopo infiniti tradimenti e crudeltà, possé vivere lungamente sicuro nella sua patria e defendersi dagli inimici esterni, e da' suoi cittadini non gli fu mai cospirato contro; con ciò sia che molti altri, mediante la crudeltà, non abbino, etiam ne' tempi pacifici, possuto mantenere lo stato, non che ne' tempi dubbiosi di guerra.[27] Credo che questo avvenga dalle crudeltà male usate

[22] *corse la terra*: mise a sacco la città.
[23] "Fermo era retta a repubblica" (Chabod).
[24] *fermare*: istituire.
[25] *pauroso*: temibile.
[26] Nel capitolo precedente.
[27] C'è qui *in nuce* uno dei grandi temi svolti altrove dal Machiavelli: quello della risolutezza dell'azione, quale ne sia il giudizio "morale" che se ne voglia tradizionalmente dare. Una decisione e una risolutezza che si traducono in grandezza e in vittoria. Cfr. i capitoli 19-23 del III libro dei *Discorsi*, dove si parla anche della necessità di adeguare la propria

o bene usate.[28] Bene usate si possono chiamare quelle (se del male è licito dire bene) che si fanno a uno tratto, per la necessità dello assicurarsi, e di poi non vi si insiste drento, ma si convertiscono in piú utilità de' sudditi che si può.[29] Male usate sono quelle le quali, ancora che nel principio sieno poche, piú tosto col tempo crescono che le si spenghino. Coloro che osservano el primo modo, possono con Dio e con gli uomini avere allo stato loro qualche remedio, come ebbe Agatocle; quegli altri è impossibile si mantenghino.

Onde è da notare che, nel pigliare uno stato, debbe l'occupatore di esso discorrere tutte quelle offese che gli è necessario fare; e tutte farle a un tratto, per non le avere a rinnovare ogni dí, e potere, non le innovando, assicurare gli uomini e guadagnarseli con beneficarli.[30] Chi fa altrimenti, o per timidità o per mal consiglio, è sempre necessitato tenere il coltello in mano; né mai può fondarsi sopra li sua sudditi, non si potendo quelli, per le fresche e continue iniurie, assicurare di lui. Perché le iniurie si debbono fare tutte insieme, acciò che, assaporandosi meno, offendino meno: e' benefizii si debbono fare a poco a poco, acciò si assaporino meglio. E debbe, sopra tutto, uno principe vivere con li suoi sudditi in modo che ve-

[28] azione alle circostanze, a seconda dei tempi e in relazione ad una situazione data (cfr. in proposito il cap. XXV del *Principe*, n. 13, p. 131). E nel cap. 21° del III libro dei *Discorsi*, si noti la seguente affermazione: "Importa, pertanto, poco ad uno capitano, per qualunque di queste vie e' si cammini [nel bene o nel male], pure che sia uomo virtuoso, e che quella virtú lo faccia riputato intra gli uomini. Perché, quando la è grande, come la fu in Annibale ed in Scipione, ella cancella tutti quegli errori che si fanno per farsi troppo amare o per farsi troppo temere." E cfr. anche *Discorsi*, III, 7-9.

[28] Vedi, per un parallelo, quanto Machiavelli scrive sulla religione "bene usata" in *Discorsi*, I, 15.

[29] L'affermazione ritorna spesso in Machiavelli. Cfr. ad es. *Discorsi*, I, 45: "Però è necessario, o non offendere mai alcuno, o fare le offese a un tratto: e dipoi rassicurare gli uomini, e dare loro cagione di quietare e fermare l'animo."

[30] Altro tema di grande rilevanza: la necessità del consenso dei sudditi per mantenere lo stato. Cfr. *Discorsi*, II, 21 e 23-24. Importante, soprattutto, il 23°, dove ritorna il tema, già ricordato, della necessità di evitare la "via di mezzo" e di essere risoluti, prima nell'"offendere" e poi nel "beneficare." Qui Machiavelli ricorda il passo di Livio (VIII, 13, 18): *Certe id firmissum imperium est, quo obedientes gaudent.* Veramente stabile è quel governo sotto il quale piace obbedire.

runo accidente o di male o di bene lo abbi a far variare; perché, venendo, per li tempi avversi, le necessità, tu non se' a tempo al male, e il bene che tu fai non ti giova, perché è iudicato forzato, e non te n'è saputo grado alcuno.[31]

IX.

De principatu civili*

Ma venendo all'altra parte,[1] quando uno privato cittadino, non per sceleratezza o altra intollerabile violenzia, ma con il favore degli altri suoi cittadini diventa principe della sua patria (il quale si può chiamare principato civile; né a pervenirvi è necessario o tutta virtú o tutta fortuna, ma piú presto[2] una astuzia fortunata), dico che si ascende a questo principato o con il favore del populo o con quello de' grandi.[3] Perché in ogni città si trovano questi dua umori diversi[4]; e nasce da questo, che il populo desidera non essere comandato né oppresso da' grandi, e li grandi desiderano comandare e opprimere il populo[5]; e da questi dua appetiti diversi nasce nelle città uno de' tre effetti, o principato o libertà o licenzia.[6]

[31] *non te n'è... alcuno*: non te ne è dato alcun merito. Vedi gli interessanti e problematici sviluppi di questa osservazione in *Discorsi*, III, 31.

* IX. *Del principato civile.*
[1] Cfr. inizio cap. precedente.
[2] *piú presto*: piuttosto.
[3] *grandi*: (*grandis*): uomini potenti per rango o carica.
[4] Il tema dei "dua umori diversi" ritorna in *Discorsi*, I, 4: "sono in ogni republica due umori diversi, quello del populo, e quello de' grandi"; ma nei *Discorsi* (I, 3-5) il motivo s'innesta in una complessa problematica che prevede, nel contrasto tra i due diversi umori (tendenze, esigenze politiche), la ragione stessa della grandezza di uno stato (Roma in particolare). A questa concezione reagirà il Guicciardini nelle sue *Considerazioni intorno ai Discorsi del Machiavelli*: cfr. F. Guicciardini, *Scritti politici e Ricordi*, Bari, Laterza, 1933, pp. 10-11.
[5] Motivo costantemente ripetuto, nel *Principe* e nei *Discorsi*. Cfr. per es. *Discorsi*, I, 40: "e questo è da troppo desiderio del popolo, d'essere libero, e da troppo desiderio de' nobili, di comandare." Si veda inoltre, per gli sviluppi che portano il Machiavelli a sostenere come sia miglior governo quello popolare, *Discorsi*, I, 58; II, 2 (il "bene comune" è privilegio delle repubbliche). E vedi anche: *Discorsi*, III, 34.
[6] Richiama il motivo dell'*anaclycosis* svolto in *Discorsi*, I, 2.

El principato è causato o dal populo o da' grandi, secondo che l'una o l'altra di queste parti ne ha la occasione. Perché, vedendo e' grandi non potere resistere al populo, cominciano a voltare la reputazione[7] a uno di loro, e fannolo principe per potere, sotto la sua ombra, sfogare il loro appetito.[8] El populo ancora, vedendo non potere resistere a' grandi, volta la reputazione a uno, e lo fa principe, per essere con la autorità sua difeso.[9] Colui che viene al principato con lo aiuto de' grandi, si mantiene con piú difficultà che quello che diventa con lo aiuto del populo; perché si truova principe con di molti intorno che li paiano essere sua equali, e per questo non li può né comandare né maneggiare a suo modo. Ma colui che arriva al principato con il favore popolare, vi si trova solo, e ha intorno o nessuno o pochissimi che non sieno parati[10] a obedire. Oltre a questo, non si può con onestà satisfare a' grandi e sanza iniuria d'altri, ma sí bene al populo: perché quello del populo è piú onesto fine che quello de' grandi,[11] volendo questi opprimere, e quello non essere oppresso. Praeterea[12] del populo inimico uno principe non si può mai assicurare, per essere troppi; de' grandi si può assicurare, per essere pochi. El peggio che possa aspettare uno principe dal populo inimico, è lo essere abbandonato da lui; ma da' grandi, inimici, non solo debbe temere di essere abbandonato, ma etiam[13] che loro li venghino contro; perché, sendo in quelli piú vedere[14] e piú astuzia, avanzono[15] sempre tempo per salvarsi, e cercono gradi[16] con quello che sperano che vinca. È necessitato ancora il principe vivere sempre con quello medesimo populo; ma può ben fare sanza quelli mede-

---

[7] *reputazione*: (*reputatio*) considerazione, favore, appoggio.
[8] *appetito*: brama, cupidigia di potere (*appetitus*).
[9] Cfr. quanto Machiavelli scrive sulla creazione del tribunato della plebe in *Discorsi*, I, 3.
[10] *parati*: lat. *paratus*: pronti.
[11] Cfr. *Discorsi*, I, 4; I, 58; III, 34, ecc.
[12] *Praeterea*: inoltre.
[13] *etiam*: anche.
[14] *piú vedere*: maggiore preveggenza.
[15] *avanzono*: hanno.
[16] *cercono gradi*: tentano di farsi meriti.

simi grandi, potendo farne e disfarne ogni dí, e torre e dare, a sua posta, reputazione loro.

E per chiarire meglio questa parte, dico come e' grandi si debbano considerare in dua modi principalmente: o si governano in modo, col procedere loro, che si obligano in tutto alla tua fortuna, o no. Quelli che si obligano, e non sieno rapaci, si debbono onorare ed amare; quelli che non si obligano, si hanno ad esaminare in dua modi. O fanno questo per pusillanimità e defetto[17] naturale di animo; allora tu ti debbi servire di quelli massime che sono di buono consiglio, perché nelle prosperità te ne onori, e non hai nelle avversità da temerne; ma quando non si obligano ad arte e per cagione ambiziosa, è segno come pensano piú a sé che a te; e da quelli si debbe el principe guardare, e temerli come se fussino scoperti inimici, perché sempre, nelle avversità, aiuteranno ruinarlo.[18]

Debbe, pertanto, uno che diventi principe mediante il favore del populo, mantenerselo amico; il che li fia facile, non domandando lui se non di non essere oppresso. Ma uno che, contro al populo, diventi principe con il favore de' grandi debbe innanzi a ogni altra cosa, cercare di guadagnarsi el populo; il che li fia facile, quando pigli la protezione sua.[19] E perché gli uomini, quando hanno bene da chi credevano avere male, si obligano piú al benificatore loro, diventa el populo, subito, piú suo benivolo che se si fussi condotto al principato con li favori suoi. E puosselo el principe guadagnare in molti modi; li quali, perché variano secondo el subietto, non se ne può dare certa regola, e però si lasceranno indrieto. Concluderò solo che a uno principe è necessario avere el populo amico; altrimenti non ha, nelle avversità, remedio.[20]

Nabide, principe delli Spartani,[21] sostenne la obsidio-

[17] *defetto*: (lat. *deficio*): mancanza.
[18] Cfr. *Discorsi*, III, 6 (*Delle congiure*).
[19] Ritorna il tema, fondamentale, dell'utilità e della necessità del consenso popolare. Cfr. *Discorsi*, III, 5; II, 21, 23-24, ecc.
[20] Cfr. l'esempio di Appio in *Discorsi*, I, 40, dove tra l'altro ritorna l'esempio di Nabide, qui sotto citato.
[21] Nabide, tiranno di Sparta. Salito al trono nel 206 a.C., proseguí la politica sociale rivoluzionaria di Cleomene a favore delle classi pove-

ne di tutta Grecia e di uno esercito romano vittoriosissi-
mo, e difese contro a quelli la patria sua e il suo stato;
e li bastò solo, sopravvenente il periculo, assicurarsi di
pochi: che se egli avessi avuto el populo inimico, questo non li bastava. E non sia alcuno che repugni a questa mia opinione con quello proverbio trito, che chi fonda
in sul populo, fonda in sul fango; perché quello è vero quando uno cittadino privato vi fa su fondamento e dassi a intendere[22] che il populo lo liberi, quando e' fussi oppresso da' nimici o da' magistrati (in questo caso si potrebbe trovare
spesso ingannato, come a Roma e' Gracchi e a Firenze messer Giorgio Scali[23]); ma sendo uno principe che vi fondi su,
che possa comandare, e sia uomo di core[24] né si sbigotti-
sca nelle avversità, e non manchi delle altre preparazioni, e tenga con lo animo e ordini[25] suoi animato lo universale,[26] mai si troverrà ingannato da lui; e li parrà avere fatti li suoi fondamenti buoni.

Sogliono questi principati periclitare quando sono per
salire dallo ordine civile allo assoluto. Perché questi principi, o comandano per loro medesimi, o per mezzo de'
magistrati[27]; nell'ultimo caso, è piú debole e piú pericu-

---

re. Riorganizzato l'esercito per fronteggiare la lega achea e rendersi padrone
del Peloponneso, si alleò a Filippo V di Macedonia ottenendone notevoli
vantaggi territoriali; ma fu dai Romani, che gli suscitarono contro una
guerra nazionale greca, costretto ai primitivi dominii. La fonte è Tito Livio
(XXXIV, 20 sgg.); è tuttavia da notare come in Livio (e come del resto in
Plutarco e in Polibio) Nabide, a causa delle sue riforme popolari, godesse
di pessima fama. Per giustificare l'assenza di ribellioni contro di lui nel-
l'ora del pericolo, Livio (XXXIV, 27) parla di feroci misure di repressione:
"per impedire che sorgessero sedizioni interne, egli [Nabide] dominava
gli animi con la paura e le atrocità, non potendo certo sperare che fosse
nei desideri dei cittadini la salvezza del tiranno." Machiavelli ribalta com-
pletamente la situazione.
[22] *dassi a intendere*: finisce per credere.
[23] Allude a Tiberio e Caio Sempronio Gracco, ucciso il primo in una
sommossa popolare nel 133 a.C., il secondo nel 121. — Giorgio Scali,
divenuto quasi principe di Firenze dopo il tumulto dei Ciompi (1378),
si alienò l'animo popolare per la sua arroganza e morí assassinato nel 1382.
Cfr. *Istorie fiorentine*, III, 18-20.
[24] *uomo di core*: coraggioso.
[25] *ordini*: ordinamenti. Sull'utilità dei buoni ordinamenti, delle leggi
(ancor prima della forza) il Machiavelli insiste in quasi tutti i capitoli
dei *Discorsi*. Per es. in fine a II, 21: "Non è per questo che io giudichi
che non si abbia adoperare l'armi e le forze; ma si debbono riservare in
ultimo luogo, dove e quando gli altri modi non bastino."
[26] *animato lo universale*: vivo e pronto il popolo.
[27] *magistrati*: magistrature.

loso lo stare loro, perché gli stanno al tutto con la volontà di quelli cittadini che sono preposti a' magistrati: li quali, massime ne' tempi avversi, li possono torre con facilità grande lo stato, o con farli[28] contro o con non lo obedire. E el principe non è a tempo, ne' periculi, a pigliare la autorità assoluta; perché li cittadini e sudditi, che sogliono avere e' comandamenti da' magistrati, non sono, in quelli frangenti, per obedire a' suoi; e arà sempre, ne' tempi dubii, penuria di chi lui[29] si possa fidare. Perché simile principe non può fondarsi sopra quello che vede ne' tempi quieti, quando e' cittadini hanno bisogno dello stato; perché allora ognuno corre, ognuno promette, e ciascuno vuole morire per lui, quando la morte è discosto; ma ne' tempi avversi, quando lo stato ha bisogno de' cittadini, allora se ne trova pochi.[30] E tanto piú è questa esperienzia periculosa, quanto la non si può fare se non una volta. E però uno principe savio debba pensare uno modo per il quale li sua cittadini, sempre e in ogni qualità di tempo,[31] abbino bisogno dello stato e di lui; e sempre poi li saranno fedeli.

X.

Quomodo omnium principatuum vires perpendi debeant*

Conviene avere,[1] nello esaminare le qualità di questi principati,[2] un'altra considerazione: cioè, se uno principe ha tanto stato[3] che possa, bisognando, per se medesimo reggersi, ovvero se ha sempre necessità della de-

---

[28] *farli*: farglisi.
[29] Soggetto: il principe.
[30] Sottinteso: che siano disposti a soccorrerlo.
[31] *in ogni qualità di tempo*: in ogni circostanza, favorevole od avversa.

* X. *In che modo si debbino misurare le forze di tutti i principati.*
[1] *avere*: tener presente.
[2] sinora trattati.
[3] per estensione e forza militare.

fensione di altri.[4] E per chiarire meglio questa parte dico come io iudico coloro potersi reggere per se medesimi, che possono, o per abundanzia di uomini o di danari, mettere insieme uno esercito iusto[5] e fare una giornata[6] con qualunque li viene ad assaltare: e cosí iudico coloro avere sempre necessità di altri, che non possono comparire contro al nimico in campagna,[7] ma sono necessitati rifuggirsi drento alle mura e guardare[8] quelle. Nel primo caso, si è discorso[9] e per lo avvenire diremo quello ne occorre.[10] Nel secondo caso non si può dire altro, salvo che confortare tali principi a fortificare e munire la terra[11] propria, e del paese non tenere alcuno conto. E qualunque arà bene fortificata la sua terra, e circa gli altri governi[12] con li sudditi si fia maneggiato come di sopra è detto[13] e di sotto si dirà, sarà sempre con gran rispetto[14] assaltato; perché gli uomini sono sempre nimici delle imprese dove si vegga difficultà, né si può vedere facilità assaltando uno che abbi la sua terra gagliarda e non sia odiato dal populo.[15]

Le città di Alamagna[16] sono liberissime, hanno poco contado, e obediscano allo imperadore quando le vogliono, e non temono né quello né altro potente che le abbino intorno; perché le sono in modo fortificate, che ciascuno pensa la espugnazione di esse dover essere tediosa e difficile. Perché tutte hanno fossi e mura conveniente; hanno artiglieria a sufficienzia; tengono sempre nelle ca-

    [4] *della... di altri*: di essere difeso da altri. È il primo accenno relativo a problemi militari. Di essi si discorrerà in particolare nei capp. XII-XIV. (E nel II libro dei *Discorsi*.)
    [5] *iusto*: adeguato alla circostanza.
    [6] *una giornata*: una battaglia campale.
    [7] Cfr. nota 6.
    [8] *guardare*: difendere.
    [9] Nel cap. VI.
    [10] Cfr. *Principe*, XII-XIV, XX.
    [11] *terra*: città, in contrapposizione a *paese*: contado, campagna.
    [12] *governi*: direttive, maniere di comportarsi.
    [13] Nel cap. precedente. In relazione alla necessità di ottenere il piú completamente possibile il consenso dei sudditi.
    [14] *rispetto*: timore, circospezione.
    [15] Cfr. *Principe*, XX; *Discorsi*, II, 24 e 30. Ed anche: II, 12.
    [16] Cfr. il *Ritratto delle cose della Magna*, dove ritornano, quasi *ad verbum*, le stesse osservazioni. E *Discorsi*, I, 55; II, 19.

nove[17] publiche da bere e da mangiare e da ardere per uno anno; e oltre a questo, per potere tenere la plebe pasciuta e sanza perdita del pubblico,[18] hanno sempre in comune, per uno anno, da potere dare loro da lavorare in quegli esercizii che sieno il nervo e la vita di quella città, e delle industrie de' quali la plebe pasca. Tengono ancora gli esercizii militari in reputazione, e sopra questo hanno molti ordini a mantenerli.

Uno principe, adunque, che abbi una città forte e non si facci odiare, non può essere assaltato; e se pure fussi chi lo assaltassi, se ne partirebbe con vergogna; perché le cose del mondo sono sí varie, che egli è[19] quasi impossibile che uno potessi con gli eserciti stare uno anno ozioso a campeggiarlo.[20] E chi replicasse: se il populo arà le sue possessioni fuora, e veggale ardere, non ci arà pazienza, e il lungo assedio e la carità propria[21] li farà sdimenticare el principe, respondo che uno principe potente e animoso supererà sempre tutte quelle difficultà, dando a' sudditi ora speranza che el male non fia lungo, ora timore della crudeltà del nimico, ora assicurandosi con destrezza di quelli che gli paressino troppo arditi.[22] Oltre a questo, el nimico, ragionevolmente,[23] debba ardere e ruinare el paese in sulla sua giunta,[24] e ne' tempi quando gli animi degli uomini[25] sono ancora caldi e volonterosi alla difesa; e però tanto meno el principe debbe dubitare, perché, dopo qualche giorno che gli animi sono raffreddi, sono di già fatti e' danni, sono ricevuti e' mali, e non vi è piú remedio; e allora tanto piú si vengono a unire con il loro principe, parendo che lui abbia, con loro, obligo,[26] sendo loro sute arse le case, ruinate le

---

[17] *canove*: magazzini.
[18] *del pubblico*: di ciò che è comune.
[19] *egli è*: forma impersonale: è.
[20] *campeggiarlo*: assediarlo.
[21] *la carità propria*: il proprio personale interesse.
[22] Puoi vedere il cap. 31° del III libro dei *Discorsi* sulla vera virtú di un principe.
[23] *ragionevolmente*: secondo esperienza, ragione, buon senso. Cioè: è ragionevole; è da presupporre che.
[24] *in sulla sua giunta*: al suo giungere, al suo arrivo, al suo sopravvenire.
[25] di coloro che si difendono.
[26] *obligo*: debito.

possessioni, per la difesa sua. E la natura degli uomini
è, cosí obligarsi per li benefizii che si fanno, come per
quelli che si ricevano.[27] Onde, se si considerrà[28] bene tutto, non fia difficile a uno principe prudente tenere prima
e poi fermi[29] gli animi de' sua cittadini nella obsidione,
quando non li manchi[30] da vivere né da difendersi.

XI.

De' principatibus ecclesiasticis*

Restaci solamente, al presente, a ragionare de' prin-
capati ecclesiastici; circa quali tutte le difficultà sono avanti che si possegghino; perché si acquistano o per virtú
o per fortuna, e sanza l'una e l'altra si mantengano; perché sono sustentati[1] dagli ordini antiquati[2] nella religione, quali sono suti tanto potenti e di qualità che tengono e' loro principi in stato, in qualunque modo si pro-
cedino e vivino. Costoro soli hanno stati, e non li defendano; sudditi e non li governano: e li stati, per essere
indifesi, non sono loro tolti; e li sudditi, per non essere
governati, non se ne curano, né pensano né possono alie-
narsi da loro.[3] Solo, adunque, questi principati sono si-
curi e felici. Ma sendo quelli retti da cagioni superiore,
alle quali mente umana non aggiugne, lascerò il parlarne; perché, sendo esaltati e mantenuti da Dio, sarebbe offizio di uomo prosuntuoso e temerario discorrerne.
Nondimanco, se alcuno mi ricercassi donde viene che la
Chiesa, nel temporale, sia venuta a tanta grandezza, con

---

[27] La massima non è di quelle consuete, improntata a una sorta di
fiducia nella natura buona dell'uomo. Ma Machiavelli potrebbe avere avuto
presente il ricordo della Romagna che, come è detto nel cap. VII, rimase
fedele per molto tempo al Valentino, memore dei benefici ricevuti da lui.
[28] *considerrà*: considererà.
[29] *fermi*: saldi, risoluti.
[30] *non li manchi*: non faccia loro mancare.

* XI. *De' principati ecclesiastici.*
[1] *sono sustentati*: si fondano, si sostengono; sono retti.
[2] *antiquati*: di antica data, secolari.
[3] Detto sarcasticamente e polemicamente. Cfr. *Discorsi*, I, 12.

ciò sia che, da Alessandro[4] indrieto, e' potentati italiani,[5] e non solum quelli che si chiamavono e' potentati, ma ogni barone e signore, benché minimo, quanto al temporale, la estimava poco, e ora uno re di Francia ne trema, e lo ha possuto cavare di Italia e ruinare e' Viniziani; la qual cosa, ancora che sia nota, non mi pare superfluo ridurla in buona parte alla memoria.[6]

Avanti che Carlo re di Francia passassi in Italia,[7] era questa provincia sotto lo imperio del papa, Viniziani, re di Napoli, duca di Milano e Fiorentini. Questi potentati avevano ad avere dua cure principali: l'una, che uno forestiero non entrassi in Italia con le armi; l'altra, che veruno di loro occupassi piú stato.[8] Quelli a chi si aveva piú cura[9] erano Papa e Viniziani. E a tenere indrieto e' Viniziani, bisognava la unione di tutti gli altri, come fu nella difesa di Ferrara[10]; e a tenere basso el Papa, si servivano de' baroni di Roma; li quali, sendo divisi in due fazioni, Orsini e Colonnesi, sempre vi era cagione di scandolo fra loro; e stando con le arme in mano in su gli occhi[11] al pontefice, tenevano il pontificato debole e infermo. E benché surgessi qualche volta uno papa animoso, come fu Sisto,[12] tamen la fortuna o il sapere[13] non lo possé mai disobligare[14] da queste incommodità. E la brevità della vita loro ne era cagione; perché in dieci anni che, ragguagliato,[15] viveva uno papa, a fatica che potessi sbassare[16] una delle fazioni; e se, verbigrazia, l'uno

---

[4] Alessandro VI (1492-1503).
[5] Le repubbliche di Firenze e di Venezia, il ducato di Milano e il regno di Napoli.
[6] Allusione alla lega di Cambrai (1508), in cui Venezia, dopo Agnadello (1509), fu sul punto della rovina, e alla Lega Santa (1511) che, promossa da Giulio II, cacciò i francesi dall'Italia.
[7] Allude alla discesa di Carlo VIII in Italia, nel 1494.
[8] *occupassi piú stato*: estendesse oltre il proprio territorio.
[9] *Quelli... cura*: quelli cui si guardava con maggior preoccupazione.
[10] Per la guerra "del sale" (1482). Con i d'Este si schierarono Napoli, Firenze, Milano, Mantova, Urbino e il papa Sisto IV.
[11] *in su gli occhi*: addosso.
[12] Sisto IV (1471-1484). Tentò di ingrandire i domini della Chiesa. Fu uomo intrigante e tra i primi a esercitare sistematicamente la pratica del nepotismo.
[13] *il sapere*: qui: la preveggenza politica.
[14] *disobligare*: liberare, svincolare.
[15] *ragguagliato*: in proporzione, in media.
[16] *a fatica... sbassare*: era difficile che potesse abbassare.

aveva quasi spenti e' Colonnesi, surgeva uno altro inimico agli Orsini, che li[17] faceva resurgere, e gli Orsini non era a tempo a spegnere.

Questo faceva che le forze temporali del papa erano poco stimate in Italia. Surse di poi Alessandro VI, il quale, di tutti e' pontefici che sono stati mai, mostrò quanto uno papa, e con il danaro e con le forze, si posseva prevalere; e fece, con lo instrumento del duca Valentino e con la occasione della passata de' Franzesi, tutte quelle cose che io discorro di sopra nelle azioni del duca.[18] E benché lo intento suo non fussi fare grande la Chiesa, ma il duca, nondimeno ciò che fece tornò a grandezza della Chiesa; la quale, dopo la sua morte, spento il duca, fu erede delle sue fatiche. Venne di poi papa Iulio[19]; e trovò la Chiesa grande, avendo tutta la Romagna e sendo spenti e' baroni di Roma e, per le battiture di Alessandro, annullate quelle fazioni; e trovò ancora la via aperta al modo dello accumulare danari,[20] non mai piú usitato da Alessandro indrieto. Le quali cose Iulio non solum seguitò, ma accrebbe; e pensò a guadagnarsi Bologna[21] e spegnere e' Viniziani e a cacciare e' Franzesi di Italia: e tutte queste imprese li riuscirono; e con tanta piú sua laude, quanto fece ogni cosa per accrescere la Chiesa e non alcuno privato. Mantenne ancora le parti Orsine e Colonnese in quelli termini che le trovò: e benché tra loro fussi qualche capo[22] da fare alterazione, tamen dua cose li ha tenuti fermi: l'una, la grandezza della Chiesa, che gli sbigottisce; l'altra, el non avere loro cardinali,[23] li quali sono origine de' tumulti infra loro. Né mai staranno quiete queste parti,[24] qualunque volta abbino cardinali, perché questi nutriscono, in Roma e fuora, le parti, e quelli baroni sono forzati a defenderle: e cosí

---

[17] I Colonnesi.
[18] Nel cap. VII.
[19] Giulio II (1503-1513).
[20] Mediante la vendita delle cariche ecclesiastiche.
[21] L'11 novembre 1506, dopo essersi impadronito di Perugia.
[22] *capo*: eminente personaggio, capo-consorteria.
[23] *non... cardinali*: non aver avuto rapporti di parentela con esponenti del collegio cardinalizio.
[24] *queste parti*: queste fazioni: Orsini e Colonnesi in particolare.

dalla ambizione de' prelati nascono le discordie e li tumulti infra e' baroni.[25] Ha trovato, adunque, la Santità di
papa Leone[26] questo pontificato potentissimo: il quale si
spera, se quelli lo feciono grande con le arme, questo,
con la bontà e infinite altre sue virtú, lo farà grandissimo
e venerando.

XII.

Quot sint genera militiae
et de mercenariis militibus*

Avendo discorso particolarmente tutte le qualità di
quelli principati de' quali nel principio proposi di ragionare, e considerato, in qualche parte, le cagioni del bene
e del male essere loro, e mostro[1] e' modi con li quali
molti hanno cerco[2] di acquistarli e tenerli, mi resta ora
a discorrere generalmente[3] le offese e difese che in ciascuno de' prenominati possono accadere. Noi abbiamo
detto di sopra[4] come a uno principe è necessario avere
e' sua fondamenti buoni; altrimenti, di necessità conviene che ruini. E' principali fondamenti che abbino tutti li
stati, cosí nuovi come vecchi o misti, sono le buone legge
e le buone arme[5]: e perché non può essere buone legge
dove non sono buone arme, e dove sono buone arme conviene sieno buone legge, io lascerò indrieto il ragionare
delle legge[6] e parlerò delle arme.

Dico, adunque, che l'arme con le quali uno principe de-

---

25 Cfr. *Discorsi*, I, 55.
26 Leone X, eletto papa il 21 febbraio 1513. Figlio di Lorenzo il Magnifico, da lui Machiavelli sperava un aiuto alla sua sorte infelice. Ciò
spiega le brevi parole d'adulazione che seguono.

* XII. *Di quante ragioni sia la milizia, e de' soldati mercenarii.*
1 *mostro*: mostrato.
2 *cerco*: cercato.
3 *generalmente*: in generale.
4 Nel cap. VIII e nel IX.
5 Cfr. *Discorsi*, I, 4: "Io non posso negare che la fortuna e la milizia non fossero cagioni dell'imperio romano; ma e' mi pare... che, dove
è buona milizia, conviene che sia buono ordine." Concetto costantemente
ripetuto. E cfr. *Discorsi*, II, 21; III, 31; II, 10, ecc.
6 Ne discorrerà a lungo nei *Discorsi*.

fende il suo stato, o le sono proprie o le sono mercenarie, o ausiliarie, o miste. Le mercenarie e ausiliarie sono inutile e periculose[7]: e se uno tiene lo stato suo fondato in sulle arme mercenarie, non starà mai fermo né sicuro; perché le sono disunite, ambiziose, sanza disciplina, infedele; gagliarde fra gli amici; fra e' nimici, vile; non timore di Dio, non fede[8] con gli uomini; e tanto si differisce la ruina quanto si differisce lo assalto; e nella pace se' spogliato da loro, nella guerra da' nimici. La cagione di questo è che le non hanno altro amore né altra cagione che le tenga in campo, che uno poco di stipendio; il quale non è sufficiente a fare che voglino morire per te. Vogliono bene essere tuoi soldati mentre che tu non fai guerra; ma, come la guerra viene, o fuggirsi o andarsene.[9] La qual cosa doverrei durare poca fatica a persuadere, perché ora la ruina di Italia non è causata da altro che per essere in spazio di molti anni riposatasi in sulle arme mercenarie.[10] Le quali feciono già per alcuno qualche progresso, e parevano gagliarde infra loro; ma, come venne el forestiero, le mostrorono quello che elle erano; onde che a Carlo re di Francia fu licito pigliare la Italia col gesso.[11] E chi diceva[12] come e' n'erano cagione e' peccati nostri, diceva il vero; ma non erano già quelli che credeva, ma questi che io ho narrati: e perché elli erano peccati de' principi, ne hanno patito la pena ancora loro.

Io voglio dimostrare meglio la infelicità di queste arme. E' capitani mercenarii, o e' sono uomini nelle armi eccellenti, o no: se sono, non te ne puoi fidare, perché sempre aspireranno alla grandezza propria, o con lo opprimere te che li se' patrone, o con lo opprimere altri fuora della tua intenzione; ma, se non è il capitano vir-

[7] Cfr. *Discorsi*, II, 20, dove è richiamato questo cap. del *Principe*.
[8] *fede*: alla parola data (*fides*): lealtà.
[9] Machiavelli riprende temi petrarcheschi. Cfr. *Fam.*, XVIII, 16; XXIII, 1 e la canzone *Italia mia* (CXXVII).
[10] Cfr. *Arte della guerra*, VII (chiusa).
[11] Allude alla facilità con cui si svolse la spedizione di Carlo VIII. *Col gesso*: col quale erano segnate le case destinate agli alloggiamenti dei soldati. Ia battuta è attribuita ad Alessandro VI ed è riferita da Philippe de Commynes nei suoi *Mémoires* (VII, 14).
[12] Girolamo Savonarola, nella sua predica del 1 novembre 1494.

tuoso, e' ti rovina per l'ordinario. E se si responde che qualunque arà le arme in mano farà questo, o mercenario o no, replicherei come le, arme hanno ad essere operate[13] o da uno principe o da una republica: el principe debbe andare in persona, e fare lui l'offizio del capitano; la republica ha a mandare sua cittadini; e quando ne manda uno che non riesca valente uomo, debbe cambiarlo; e quando sia, tenerlo con le leggi, che non passi el segno.[14] E per esperienzia si vede a' principi soli e republiche armate fare progressi grandissimi, e alle arme mercenarie non fare mai se non danno[15]; e con piú difficultà viene alla obedienzia di uno suo cittadino una republica armata di arme proprie, che una armata di armi esterne.

Stettono Roma e Sparta molti secoli armate e libere. E' Svizzeri sono armatissimi e liberissimi. Delle armi mercenarie antiche in exemplis sono e' Cartaginesi; li quali furono per essere oppressi da' loro soldati mercenarii, finita la prima guerra con li Romani, ancora che e' Cartaginesi avessino, per capi, loro proprii cittadini.[16] Filippo Macedone fu fatto da' Tebani, dopo la morte di Epaminunda, capitano delle loro genti; e tolse loro, dopo la vittoria, la libertà.[17] E' Milanesi, morto il duca Filippo, soldorono Francesco Sforza contro a' Viniziani: il quale, superati gli inimici a Caravaggio, si congiunse con loro per opprimere e' Milanesi suoi patroni.[18] Sforza, suo padre, sendo soldato della regina Giovanna di Napoli, la lasciò in un tratto disarmata; onde lei, per non perdere el regno, fu costretta gittarsi in grembo al re di Aragona.[19]

---

[13] operate: adoperate, usate.

[14] Cfr. quanto Machiavelli scrive sull'istituto della dittatura a Roma: Discorsi, I, 33-34; II, 33; III, 15, e anche I, 46. E vedi anche Discorsi, I, 30.

[15] Cfr. Discorsi, I, 21 e, all'opposto, I, 43.

[16] La ribellione avvenne nel 241 a.C. e terminò nel 237. L'episodio è narrato da Polibio (I, 65-88) e ritorna in Discorsi, III, 32.

[17] Filippo II (359-336 a.C.) fu capitano dei tebani e dei tessali nella prima guerra sacra (355 circa) contro i focesi; ma sottomise poi Tebe, nel 346. Cfr. Giustino, Epit., IX, 4.

[18] Cfr. n. 3 al cap. I, p. 31. La battaglia di Caravaggio è del 15 settembre 1448. Cfr. Arte della guerra, I.

[19] Muzio Attendolo Sforza (1369-1424), capitano al soldo di Ladislao di Napoli, passò, dopo la morte di quest'ultimo, al servizio di Giovanna II; ma nel 1426 la abbandonò per passare a quello di Luigi III d'An-

E se Viniziani e Fiorentini hanno per lo adrieto cresciuto lo imperio loro con queste armi, e li loro capitani non se ne sono però fatti principi ma li hanno difesi, respondo che e' Fiorentini in questo caso sono suti favoriti dalla sorte; perché de' capitani virtuosi, de' quali potevano temere, alcuni non hanno vinto: alcuni hanno avuto opposizione: altri hanno volto la ambizione loro altrove. Quello che non vinse fu Giovanni Aucut,[20] del quale, non vincendo, non si poteva conoscere la fede; ma ognuno confesserà che, vincendo, stavano e' Fiorentini a sua discrezione. Sforza ebbe sempre e' Bracceschi contrarii, che guardorono l'uno l'altro. Francesco volse l'ambizione sua in Lombardia; Braccio contro alla Chiesa e il regno di Napoli.[21]

Ma vegnàno[22] a quello che è seguito poco tempo fa. Feciono e' Fiorentini Paulo Vitelli[23] loro capitano, uomo prudentissimo, e che, di privata fortuna, aveva presa grandissima reputazione. Se costui espugnava Pisa, veruno fia che nieghi come conveniva a' Fiorentini stare seco; perché, s'e' fussi diventato soldato di loro nemici, non avevano remedio; e se lo tenevano, aveano a obedirlo. E' Viniziani, se si considerrà e' progressi loro, si vedrà quelli avere securamente e gloriosamente operato mentre ferono la guerra loro proprii[24] (che fu avanti che si volgessino con le loro imprese in terra)[25] dove co' gentili uomini e con la plebe armata operorono virtuosissimamente; ma come cominciorono a combattere in terra, lasciorono questa virtú, e seguitorono e' costumi delle guerre di Italia. E nel principio dello augumento loro in terra, per non vi avere molto stato e per essere in grande reputazione,

giò. Giovanna dovette assoldare Andrea Braccio da Montone e adottare come figlio e successore Alfonso d'Aragona.
[20] Giovanni Acuto (1320-1394), capitano di ventura. Con la sua compagnia si trasferí in Italia nel 1360. Fu al servizio di Pisa, di Milano, della Chiesa e, infine, di Firenze. Inglese, il suo vero nome fu sir John Hawkwood.
[21] Tra gli uomini di Braccio da Montone e quelli di Muzio e Francesco Sforza ci fu sempre una grande rivalità.
[22] *vegnàno*: veniamo.
[23] Cfr. n. 12 al cap. VIII, p. 63.
[24] *ferono... proprii*: fecero guerra con eserciti propri.
[25] Cioè: prima che si rivolgessero, anziché al dominio del mare, alla conquista della terraferma.

non aveano da temere molto de' loro capitani; ma, come egli ampliorono, che fu sotto el Carmignuola,[26] ebbono uno saggio di questo errore; perché, vedutolo virtuosissimo, battuto che loro ebbono sotto il suo governo el duca di Milano, e conoscendo dall'altra parte come egli era raffreddo nella guerra, iudicorono non potere con lui piú vincere perché non voleva, né potere licenziarlo, per non riperdere ciò che aveano acquistato; onde che furono necessitati, per assicurarsene, ammazzarlo. Hanno di poi avuto per loro capitani Bartolommeo da Bergamo, Ruberto da San Severino, Conte di Pitigliano,[27] e simili; con li quali aveano a temere della perdita, non del guadagno loro; come intervenne di poi a Vailà,[28] dove, in una giornata, perderono quello che in ottocento anni, con tanta fatica, avevano acquistato. Perché da queste armi nascono solo e' lenti, tardi e deboli acquisti, e le subite e miraculose perdite.[29] E perché io sono venuto con questi esempli[30] in Italia, la quale è stata molti anni governata dalle armi mercenarie, le voglio discorrere piú da alto,[31] acciò che veduto la origine e progressi di esse, si possa meglio correggerle.

Avete dunque a intendere come, tosto che in questi ultimi tempi lo imperio comincciò a essere ributtato di Italia[32] e che il papa nel temporale vi prese piú reputazio-

<hr/>

[26] Cosí fu chiamato il capitano di ventura Francesco Bussone (1380-1420). Fu dapprima al servizio di Milano divenendo lo strumento della ricostruzione dello stato visconteo; quindi, venuto in rotta coi Visconti, passò al servizio di Venezia (1425), alleata di Firenze e sconfisse le milizie viscontee a Maclodio (1427). Dopo la vittoria, per la sua fiacca condotta di guerra e il suo comportamento ambiguo al risorgere del conflitto (1431), venne richiamato a Venezia e condannato a morte come reo di tradimento.

[27] Bartolomeo Colleoni da Bergamo (1400-1476), vinto dallo Sforza a Caravaggio; Ruberto da San Severino, capitano dei veneziani durante la guerra di Ferrara (1482-1484); Niccolò Orsini, comandante delle milizie venete ad Agnadello (1509).

[28] Vailate, Agnadello, dove il 14 maggio 1509 Venezia venne rovinosamente sconfitta dalla lega di Cambrai. E cfr. *Discorsi*, III, 31.

[29] Cfr. *Arte della guerra*, VII (chiusa): "Di qui nacquero poi nel mille quattrocento novantaquattro i grandi spaventi, le súbite fughe e le miracolose perdite."

[30] Molti degli esempi qui elencati tornano nel I libro dell'*Arte della guerra*, dedicato in gran parte alle milizie di ventura.

[31] *piú da alto*: muovendo piú indietro negli anni.

[32] L'ultima discesa imperiale fu quella di Carlo IV di Boemia, nel 1368. Era stato incoronato imperatore a Roma nel 1354. Con la Bolla

ne, si divise la Italia in piú stati; perché molte delle città grosse presono le armi contro a' loro nobili, li quali, prima, favoriti dallo imperatore, le tenevono oppresse; e la Chiesa le favoriva per darsi reputazione nel temporale; di molte altre e' loro cittadini ne diventorono principi.[33] Onde che, essendo venuta l'Italia quasi che nelle mani della Chiesa e di qualche republica, ed essendo quelli preti e quegli altri cittadini usi a non conoscere arme, cominciorono a soldare forestieri.[34] El primo che dette reputazione a questa milizia fu Alberigo da Conio,[35] romagnolo. Dalla disciplina[36] di costui discese, intra gli altri, Braccio e Sforza, che ne' loro tempi furono arbitri di Italia. Dopo questi, vennono tutti gli altri che fino a' nostri tempi hanno governato queste armi. E il fine[37] della loro virtú è stato, che Italia è stata corsa da Carlo, predata da Luigi, sforzata da Ferrando e vituperata da' Svizzeri.[38] L'ordine[39] che egli hanno tenuto, è stato, prima, per dare reputazione a loro proprii,[40] avere tolto reputazione alle fanterie.[41] Feciono questo, perché, sendo sanza stato e in sulla industria,[42] e' pochi fanti non davono loro reputazione, e li assai non potevono nutrire; e però si dussono a' cavalli, dove con numero sopportabile erano[43] nutriti e onorati. Ed erano ridotte le cose in termine, che in uno esercito di ventimila soldati non si trovava dumila fanti. Avevano, oltre a questo, usato ogni industria per levare a sé e a' soldati la fatica e la paura, non si am-

d'oro, regolò definitivamente l'elezione imperiale sottraendola al pontefice e affidandola ai sette Grandi Elettori.
[33] Allude alla formazione dei comuni e delle signorie.
[34] Non è esattamente questa l'origine del fenomeno delle milizie di ventura. Sul problema cfr. C. Ancona, *Milizie e condottieri*, nella *Storia d'Italia* dell'editore Einaudi, vol. V, *I documenti*, t. I.
[35] Alberigo da Barbiano (1344-1409), conte di Cunio, fondatore della compagnia di San Giorgio.
[36] *disciplina*: scuola.
[37] *fine*: risultato. Detto sarcasticamente.
[38] Rispettivamente Carlo VIII, Luigi XII, Ferdinando il Cattolico, gli Svizzeri, i quali vinsero le compagnie di ventura italiane a Novara (1500) e a Ravenna (1512). Cfr. *Istorie fiorentine*, I, 39.
[39] *L'ordine*: qui: la tattica.
[40] *a loro proprii*: a se stessi.
[41] Cfr. *Discorsi*, II, 17-18.
[42] *sendo... industria*: non avendo patrimonio territoriale e vivendo della loro professione. Per tutta la questione cfr. *Istorie fiorentine*, I, 39.
[43] Soggetto: i capitani di ventura.

mazzando nelle zuffe, ma pigliandosi prigioni e sanza taglia.[44] Non traevano la notte alle terre[45]; quelli delle terre non traevano alle tende[46]; non facevano intorno al campo né steccato né fossa; non campeggiavano[47] il verno. E tutte queste cose erano permesse ne' loro ordini militari, e trovate da loro per fuggire, come è detto, e la fatica e li pericoli: tanto che gli hanno condotta Italia stiava e vituperata.

XIII.

De militibus auxiliariis, mixtis et propriis*

L'armi ausiliarie, che sono l'altre armi inutili, sono quando si chiama uno potente che con le armi sue ti venga ad aiutare e defendere: come fece ne' prossimi tempi papa Iulio; il quale, avendo visto nella impresa di Ferrara la trista prova delle sue armi mercenarie, si volse alle ausiliarie, e convenne con Ferrando re di Spagna che con le sue gente ed eserciti dovesse aiutarlo.[1] Queste arme possono essere utile e buone per loro medesime, ma sono, per chi le chiama, quasi sempre dannose; perché, perdendo, rimani disfatto: vincendo, resti loro prigione. E ancora che di questi esempli ne siano piene le antiche istorie, non di manco io non mi voglio partire da questo esemplo fresco[2] di papa Iulio II; il partito del quale non possé essere manco considerato, per volere Ferrara, cacciarsi tutto nelle mani d'uno forestiere. Ma la sua buona fortuna fece nascere una terza cosa, acciò non cogliessi el

---

[44] Cfr. *Discorsi*, I, 17.
[45] *Non... alle terre*: non accorrevano ad assaltare di notte le città.
[46] *quelli... alle tende*: quelli all'interno delle città non uscivano ad assaltare gli accampamenti.
[47] *campeggiavano*: conducevano assedi.

* XIII. *De' soldati ausiliarii, misti e propriì.*
[1] Dopo avere occupato Bologna nel 1506, Giulio II volle impadronirsi anche di Ferrara (1510). Sconfitto da Alfonso d'Este e perduta Bologna, dovette ricorrere all'aiuto di Ferdinando il Cattolico, dando vita alla Santa Lega (1511).
[2] *fresco*: qui e altrove: recente.

frutto della sua mala elezione[3]: perché, sendo gli ausiliarii suoi rotti a Ravenna,[4] e surgendo e' Svizzeri che cacciorono e' vincitori, fuora di ogni opinione e sua e d'altri, venne a non rimanere prigione degli inimici, sendo fugati, né degli ausiliarii sua, avendo vinto con altre armi che con le loro. E' Fiorentini, sendo al tutto disarmati, condussono diecimila Franzesi a Pisa per espugnarla[5]; per il quale partito portorono piú pericolo che in qualunque tempo de' travagli loro. Lo imperadore di Costantinopoli, per opporsi alli suoi vicini, misse in Grecia diecimila Turchi[6]; li quali, finita la guerra, non se ne volsono partire; il che fu principio della servitú di Grecia con gli infedeli.

Colui, adunque, che vuole non potere vincere,[7] si vaglia di queste armi; perché sono molto piú pericolose che le mercenarie. Perché in queste è la ruina fatta[8]: sono tutte unite, tutte volte alla obedienzia di altri; ma nelle mercenarie, a offenderti, vinto che le hanno,[9] bisogna piú tempo e maggiore occasione, non sendo tutto uno corpo, ed essendo trovate e pagate da te; nelle quali uno terzo che tu facci capo,[10] non può pigliare subito tanta autorità che ti offenda. In somma, nelle mercenarie è piú pericolosa la ignavia, nelle ausiliarie, la virtú.

Uno principe, pertanto, savio, sempre ha fuggito queste arme, e voltosi alle proprie; e ha volsuto piuttosto perdere con li sua che vincere con gli altri, iudicando non vera vittoria quella che con le armi aliene si acquistassi.[11]

---

[3] elezione: scelta (electio).

[4] L'11 aprile 1512, quando i francesi disfecero gli spagnoli. Senonché la morte del valoroso condottiero francese Gaston de Foix e il sopraggiungere di ventimila mercenari svizzeri capovolsero la situazione.

[5] Nel giugno del 1500 Luigi XII inviò circa ottomila tra guasconi e svizzeri in soccorso dei fiorentini per l'impresa di Pisa. Li guidava Ugo Beaumont, che tenne un comportamento inerte e non seppe frenare l'indisciplina della truppa, tanto che la spedizione si risolse in danno e non in favore della Repubblica. Cfr. Discorsi, I, 38.

[6] Giovanni Cantacuzeno che si alleò, nel 1346, con il sultano dei Turchi nella sua lotta dinastica coi Paleologhi. Venne inviato il figlio del sultano Solimano, e questo primo stanziamento turco in Europa costituí la base della futura espansione ottomana.

[7] che vuole... vincere: che, a onta d'ogni illusione, mai potrà vincere.

[8] ruina fatta: rovina certa.

[9] vinto che le hanno: vinto che esse abbiano.

[10] uno terzo che tu facci capo: un comandante estraneo alla truppa.

[11] Cfr. Discorsi, I, 21; I, 43.

Io non dubiterò mai di allegare Cesare Borgia e le sue azioni. Questo duca intrò in Romagna con le armi ausiliarie, conducendovi tutte gente franzesi; e con quelle prese Imola e Furlí; ma non li parendo poi tale arme secure, si volse alle mercenarie, iudicando in quelle manco periculo; e soldò gli Orsini e Vitelli; le quali poi nel maneggiare trovando dubie ed infedeli e periculose, le spense, e volsesi alle proprie. E puossi facilmente vedere che differenzia è infra l'una e l'altra di queste arme, considerato che differenzia fu dalla reputazione del duca, quando aveva e' Franzesi soli e quando aveva gli Orsini e Vitelli, a quando rimase con li soldati suoi e sopra se stesso: e sempre si troverrà accresciuta; né mai fu stimato assai, se non quando ciascuno vidde che lui era intero possessore delle sue armi.[12]

Io non mi volevo partire dagli esempli italiani e freschi; tamen non voglio lasciare indrieto Ierone Siracusano, sendo uno de' sopranominati da me.[13] Costui, come io dissi, fatto da' Siracusani capo degli eserciti, conobbe subito quella milizia mercenaria non essere utile, per essere condottieri fatti come li nostri italiani; e parendoli non li potere tenere né lasciare, li fece tutti tagliare a pezzi: e di poi fece guerra con le arme sua, e non con le aliene. Voglio ancora ridurre a memoria una figura del Testamento Vecchio, fatta a questo proposito. Offerendosi David a Saul di andare a combattere con Golia, provocatore[14] filisteo, Saul, per dargli animo, l'armò delle arme sua; le quali, come David ebbe indosso, recusò, dicendo con quelle non si potere bene valere di se stesso, e però voleva trovare el nimico con la sua fromba e con il suo coltello.[15]

In fine, l'arme d'altri, o le ti caggiono[16] di dosso o le ti pesano o le ti stringono. Carlo VII,[17] padre del re

[12] Cfr. *Principe*, VII.
[13] Nel cap. VI. Cfr. nota 30, p. 51. Qui la fonte è Polibio, I, 9.
[14] *provocatore*: sfidante.
[15] Cfr. *I Reg.*, 17, 38-40.
[16] Linguaggio metaforico: ti abbandonano, ti obbligano, ti incalzano.
[17] Carlo VII (1422-1461). In realtà debole e indolente, assisté quasi passivamente al movimento di riscossa contro gli inglesi, iniziato da Giovanna d'Arco e che portò alla liberazione d'Orléans e alla sua incoronazione in Reims (1429). Solo dopo il 1440, ritornato a Parigi, riprese a svolgere una politica personale. Circondato da energici consiglieri, riordinò

Luigi XI, avendo, con la sua fortuna e virtú, libera[18] Francia dagli Inghilesi, conobbe questa necessità di armarsi di arme proprie, e ordinò nel suo regno l'ordinanza delle gente d'arme e delle fanterie. Di poi il re Luigi, suo figliuolo, spense quella de' fanti e cominciò a soldare Svizzeri[19]: il quale errore, seguitato dagli altri, è, come si vede ora in fatto, cagione de' pericoli di quello regno.[20] Perché, avendo dato reputazione a' Svizzeri, ha invilito tutte le arme sua; perché le fanterie ha spento in tutto e le sue genti d'arme ha obligato alle armi d'altri; perché, sendo assuefatte a militare con Svizzeri, non par loro di potere vincere sanza essi; di qui nasce che Franzesi contro a Svizzeri non bastano, e, sanza Svizzeri, contro ad altri non provano. Sono, dunque, stati gli eserciti di Francia misti, parte mercenarii e parte proprii: le quali armi tutte insieme sono molto migliori che le semplici ausiliarie o le semplici mercenarie, e molto inferiore alle proprie. E basti lo esemplo detto; perché el regno di Francia sarebbe insuperabile, se l'ordine di Carlo[21] era accresciuto o perservato.[22] Ma la poca prudenzia degli uomini comincia una cosa, che, per sapere allora di buono, non si accorge del veleno che vi è sotto: come io dissi, di sopra, delle febbre etiche.[23]

Pertanto colui che in uno principato non conosce e' mali quando nascono, non è veramente savio; e questo è dato a pochi.[24] E se si considerassi la prima cagione della ruina

l'esercito e le finanze, concluse la guerra dei Cento anni e riprese la politica d'espansione in Italia e nella valle del Reno.
    [18] *libera*: liberata.
    [19] Luigi XI (1461-1483), il grande riordinatore della monarchia francese. Fece segnare un deciso progresso dell'assolutismo regio. Nell'esercito abolì l'ordinanza degli arcieri istituita da Carlo VII, e cioè la fanteria. Nel 1474 assoldò gli svizzeri. Cfr. il *Ritratto di cose di Francia* e la lettera a F. Vettori del 26 agosto 1513 (*Lettere*, 214).
    [20] Allude alla sconfitta di Novara e alle conseguenze della battaglia di Ravenna. Cfr. *Discorsi*, II, 17: "perché se ne è visto l'esemplo de' Svizzeri, i quali a Novara, nel 1513, sanza artiglierie e sanza cavagli, andarono a trovare lo esercito francioso... e lo roppono sanza avere alcuno impedimento da quelle."
    [21] Ossia le "compagnie d'ordinanza," di cui al *Ritratto*, cit.
    [22] *perservato*: preservato, mantenuto.
    [23] Nel III cap. Naturalmente allude all'arruolamento degli svizzeri da parte del re Luigi. E cfr. *Discorsi*, II, 20.
    [24] Cfr. per ulteriori sviluppi di questa osservazione *Discorsi*, I, 33; I, 52; III, 28; III, 34.

dello imperio romano, si troverrà essere suto solo cominciare a soldare e' Goti[25]; perché da quello principio cominciorono a enervare[26] le forze dello imperio romano; e tutta quella virtú che si levava da lui, si dava a loro.

Concludo, adunque, che, sanza avere arme proprie, nessuno principato è securo; anzi è tutto obligato alla fortuna, non avendo virtú che nelle avversità con fede lo difenda. E fu sempre opinione e sentenzia degli uomini savi "quod nihil sit tam infirmum aut instabile quam fama potentiae non sua vi nixa."[27] E l'armi proprie son quelle che sono composte o di sudditi o di cittadini o di creati tuoi[28]: tutte l'altre sono o mercenarie o ausiliarie. E il modo a ordinare[29] l'armi proprie sarà facile a trovare, se si discorrerà gli ordini de' quattro[30] sopra nominati da me, e se si vedrà come Filippo,[31] padre di Alessandro Magno, e come molte republiche e principi si sono armati e ordinati: a' quali ordini io al tutto mi rimetto.[32]

XIV.

Quod principem deceat
circa militiam*

Debbe, adunque, uno principe non avere altro obietto né altro pensiero, né prendere cosa alcuna per sua arte,[1] fuora della guerra e ordini e disciplina di essa[2]; perché quella è sola arte che si espetta a chi comanda; ed è di

---

[25] La prima volta con l'imperatore Valente, nel 376.
[26] *enervare*: snervare (*enervo*). Spossare, estenuare.
[27] "Nulla è cosí incerto e instabile quanto una fama di potenza che non si fondi sulla propria forza." Cfr. *Discorsi*, II, 11. La frase è tratta da Tacito, *Ann.*, XIII, 19, 1, e suona esattamente cosí: *Nihil rerum mortalium tam instabile ac fluxum est quam fama potentiae non sua vi nixae.*
[28] Cfr. anche a ricapitolazione, *Discorsi*, II, 10 e 30.
[29] *ordinare*: organizzare, istituire.
[30] Cioè: Cesare Borgia, Gerone, Carlo VII e Davide.
[31] Che istituí la celebre falange macedone.
[32] Il discorso iniziato da Machiavelli con gli *Scritti sull'ordinanza* del 1506 si concluderà con l'*Arte della guerra.*

* XIV. *Quello che s'appartenga a uno principe circa la milizia.*
[1] *arte*: qui: professione, fondamentale dovere.
[2] Al problema è consacrato il II libro dei *Discorsi.*

tanta virtú,[3] che non solamente mantiene quelli che sono nati principi, ma molte volte fa gli uomini di privata fortuna salire a quel grado; e, per adverso, si vede che e' principi, quando hanno pensato piú alle delicatezze che alle armi, hanno perso lo stato loro.[4] E la prima cagione che ti fa perdere quello, è negligere[5] questa arte; e la cagione che te lo fa acquistare, è lo essere professo[6] di questa arte.

Francesco Sforza,[7] per essere armato, di privato diventò duca di Milano; e' figliuoli,[8] per fuggire e' disagi delle arme, di duchi diventorono privati. Perché, intra le altre cagioni che ti arreca di male lo essere disarmato, ti fa contennendo[9]: la quale è una di quelle infamie dalle quali il principe si debbe guardare, come di sotto si dirà[10]; perché da uno armato a uno disarmato non è proporzione alcuna[11] e non è ragionevole che chi è armato obedisca volentieri a chi è disarmato, e che il disarmato stia securo intra servitori armati[12]; perché, sendo nell'uno sdegno,[13] e nell'altro sospetto, non è possibile operino bene insieme. E però uno principe che della milizia non si intenda, oltre alle altre infelicità, come è detto, non può essere stimato da' sua soldati, né fidarsi di loro.[14]

Debbe, pertanto, mai levare el pensiero da questo esercizio della guerra, e nella pace vi si debbe piú esercitare che nella guerra: il che può fare in duo modi; l'uno con le opere, l'altro con la mente. E, quanto alle opere, oltre al tenere bene ordinati ed esercitati li suoi, debbe stare sempre in sulle cacce, e mediante quelle assuefare

---

[3] *è di tanta virtú*: ha tanta forza e potere.
[4] Cfr. la già cit. chiusa dell'*Arte della guerra*. E *Principe*, XXIV.
[5] *negligere*: trascurare *(neglego)*.
[6] *lo essere professo*: l'avere professato.
[7] Cfr. n. 3 al cap. I, p. 31.
[8] *e' figliuoli*: eredi in primo grado. Ludovico il Moro venne deposto nel 1500 da Luigi XII. Cfr. F. Chabod, *Scritti su Machiavelli*, cit., pp. 155-56.
[9] *contennendo*: dal lat. *contemnere*: disprezzabile.
[10] In part. nel cap. XIX.
[11] Cfr. n. 24 al cap. VI, p. 51.
[12] I condottieri, capitani di ventura e simili.
[13] *sdegno*: alterigia.
[14] Ed invece, all'opposto, vedi quanto Machiavelli scrive, ad es., in *Discorsi*, III, 33.

el corpo a' disagi; e parte[15] imparare la natura de' siti, e conoscere come surgono e' monti, come imboccano le valle, come iacciono e' piani, ed intendere la natura de' fiumi e de' paduli; e in questo porre grandissima cura.[16] La qual cognizione è utile in due modi: prima, si impara a conoscere el suo paese, e può meglio intendere le difese di esso: di poi, mediante la cognizione e pratica di quelli siti, con facilità comprendere ogni altro sito che di nuovo li sia necessario speculare.[17] Perché li poggi, le valli, e' piani, e' fiumi, e' paduli[18] che sono, verbigrazia, in Toscana, hanno con quelli delle altre provincie certa similitudine; tal che, dalla cognizione del sito di una provincia, si può facilmente venire alla cognizione dell'altre. E quel principe che manca di questa perizia, manca della prima parte che vuole avere uno capitano; perché, questa, insegna trovare il nimico, pigliare gli alloggiamenti, condurre gli eserciti, ordinare le giornate,[19] campeggiare le terre[20] con tuo vantaggio.

Filipomene,[21] principe degli Achei, intra le altre laude che dagli scrittori gli sono date, è che ne' tempi della pace non pensava mai se non a' modi della guerra; e quando era in campagna con gli amici, spesso si fermava e ragionava con quelli: — Se li nimici fussino in su quel colle, e noi ci trovassimo qui col nostro esercito, chi di noi arebbe vantaggio? come si potrebbe ire, servando gli ordini, a trovarli?[22] se noi volessimo ritirarci, come aremmo a fare? se loro si ritirassino, come aremmo a seguirli?[23] — e proponeva loro, andando, tutti e' casi che in uno esercito possono occorrere; intendeva[24] la opinione

---

[15] *e parte*: e intanto.
[16] Cfr. *Discorsi*, III, 39, dedicato appunto a questo tema. È evidente l'influsso della *Ciropedia* di Senofonte; in part. I, 2-4.
[17] *speculare*: dal lat. *speculor*: esplorare, esaminare con attenzione.
[18] *paduli*: paludi.
[19] *ordinare le giornate*: organizzare e disporre i soldati nelle battaglie campali.
[20] *campeggiare le terre*: assediare le città.
[21] Filopomene, stratego greco (252-182 a.C.). Si distinse nelle file della lega achea combattendo contro Sparta. Fu definito l'ultimo dei greci. Qui la fonte è Livio, XXXV, 28.
[22] *a trovarli*: ad attaccarli.
[23] *seguirli*: inseguirli.
[24] *intendeva*: ascoltava.

loro, diceva la sua, corroboravala con le ragioni: tal che, per queste continue cogitazioni, non posseva mai, guidando gli eserciti, nascere accidente alcuno, che lui non avesse el remedio.

Ma quanto allo esercizio della mente, debbe il principe leggere le istorie, e in quelle considerare le azioni degli uomini eccellenti; vedere come si sono governati nelle guerre; esaminare le cagioni delle vittorie e perdite loro, per potere queste fuggire, e quelle imitare[25]; e, sopra tutto, fare come ha fatto per lo adrieto qualche uomo eccellente, che ha preso ad imitare se alcuno innanzi a lui è stato laudato e gloriato, e di quello ha tenuto sempre e' gesti ed azioni appresso di sé: come si dice che Alessandro Magno imitava Achille; Cesare, Alessandro; Scipione, Ciro.[26] E qualunque legge la vita di Ciro scritta da Senofonte, riconosce di poi nella vita di Scipione quanto quella imitazione li fu di gloria, e quanto, nella castità, affabilità, umanità, liberalità Scipione si conformassi con quelle cose che di Ciro da Senofonte sono sute scritte.

Questi simili modi debbe osservare uno principe savio, e mai ne' tempi pacifici stare ozioso; ma con industria farne capitale, per potersene valere nelle avversità, acciò che, quando si muta la fortuna, lo truovi parato a resisterle.[27]

XV.

De his rebus quibus homines et praesertim principes laudantur aut vituperantur*

Resta ora a vedere quali debbano essere e' modi e governi di uno principe con sudditi o con gli amici. E perché io so che molti di questo hanno scritto, dubito, scri-

[25] Qui il Machiavelli espone il criterio stesso della sua metodologia storica. Cfr. *Discorsi, Proemio* al I e II libro; III, 43, ecc.
[26] Per Alessandro, cfr. Plutarco, *Vita Alexandri*, 15; per Cesare, Suetonio, *Caes.*, 7; per Scipione, Cicerone, *Ad Quintum fr.*, I, 1 (VIII, 23).
[27] Cfr. su questa tema il cap. XXV del *Principe* e i rinvii ivi citati.

* XV. *Di quelle cose per le quali li uomini, e specialmente i principi, sono laudati o vituperati.*

vendone ancora io, non essere tenuto prosuntuoso, partendomi massime, nel disputare questa materia, dagli ordini[1] degli altri. Ma sendo l'intento mio scrivere cosa utile a chi la intende, mi è parso piú conveniente andare drieto alla verità effettuale della cosa,[2] che alla imaginazione di essa. E molti si sono imaginati republiche e principati che non si sono mai visti né conosciuti essere in vero[3] perché egli è tanto discosto da come si vive a come si doverrebbe vivere, che colui che lascia quello che si fa per quello che si doverrebbe fare impara piuttosto la ruina che la perservazione[4] sua: perché uno uomo che voglia fare in tutte le parte professione di buono, conviene rovini infra tanti che non sono buoni.[5] Onde è necessario a uno principe, volendosi mantenere, imparare a potere essere non buono, e usarlo e non l'usare[6] secondo la necessità.

Lasciando, adunque, indrieto le cose circa uno principe imaginate, e discorrendo quelle che sono vere, dico che tutti gli uomini, quando se ne parla, e massime e' principi, per essere posti piú alti, sono notati[7] di alcune di queste qualità che arrecano loro o biasimo o laude. E questo è che alcuno è tenuto liberale, alcuno misero[8] (usando uno termine toscano, perché avaro[9] in nostra lingua è ancora colui che per rapina desidera di avere, misero chiamiamo noi quello che si astiene troppo di usare il suo); alcuno è tenuto donatore, alcuno rapace; alcuno crudele, alcuno pietoso; l'uno fedifrago, l'altro fedele; l'uno effeminato e pusillanime, l'altro feroce[10] e animoso; l'uno

---

[1] *ordini*: princípi, categorie mentali, norme, direttive.
[2] *verità effettuale della cosa*: la realtà della cosa come si manifesta.
[3] *in vero*: nella verità delle cose. Piú che alla *Repubblica* di Platone Machiavelli pensa alla tradizione della trattatistica sul "principe" quale si sviluppò nel corso dell'umanesimo, dal Petrarca (*Sen.*, XIV, 1) al *De principe* del Pontano.
[4] *perservazione*: salvezza.
[5] Cfr. *Discorsi*, I, 3: "è necessario a chi dispone una republica... presupporre tutti gli uomini rei." E cfr. I, 9; I, 29; I, 37; I, 39 ecc.
[6] *usarlo e non l'usare*: usare o non usare, servirsi o non servirsi di quest'abito. E cfr. *Discorsi*, III, 19-23.
[7] *notati*: dal lat. *noto*: segnati, giudicati, resi conoscibili.
[8] *misero*: spilorcio (come del resto spiega lo stesso Machiavelli).
[9] *avaro*: dal lat. *avarus*: avido, cupido, insaziabile.
[10] *feroce*: dal lat. *ferox* (in senso buono): animoso, fiero, coraggioso.

umano, l'altro superbo; l'uno lascivo, l'altro casto; l'uno intero,[11] l'altro astuto; l'uno duro, l'altro facile[12]; l'uno grave, l'altro leggieri; l'uno religioso, l'altro incredulo, e simili.[13] E io so che ciascuno confesserà che sarebbe laudabilissima cosa in uno principe trovarsi, di tutte le soprascritte qualità, quelle che sono tenute buone; ma perché le non si possono avere né interamente osservare, per le condizioni umane che non lo consentono,[14] gli è necessario essere tanto prudente che sappia fuggire l'infamia[15] di quelli vizii che li torrebbano lo stato e da quelli che non gnene tolgano, guardarsi, se egli è possibile; ma, non possendo, vi si può con meno respetto lasciare andare. Et etiam non si curi di incorrere nella infamia di quelli vizii sanza quali e' possa difficilmente salvare lo stato; perché, se si considerrà bene tutto, si troverrà qualche cosa che parrà virtú, e, seguendola, sarebbe la ruina sua; e qualcuna altra che parrà vizio, e, seguendola, ne riesce la securtà e il bene essere suo.[16]

XVI.

De liberalitate et parsimonia*

Cominciandomi,[1] adunque, alle prime soprascritte qualità, dico come sarebbe bene essere tenuto liberale: nondimanco la liberalità, usata in modo che tu sia tenuto,[2] ti offende; perché se la si usa virtuosamente e come la si

---

[11] *intero*: dal lat. *integer*: puro, incorrotto, leale.
[12] *facile*: dal lat. *facilis*: arrendevole, compiacente, amabile.
[13] Alcune di queste qualità verranno particolarmente analizzate nei capitoli che immediatamente seguono.
[14] Cfr. *Discorsi*, II, *Proemio*: "giudico il mondo sempre essere stato ad uno medesimo modo, ed in quello essere stato tanto di buono quanto di cattivo."
[15] *infamia*: cattiva reputazione (*infamia*).
[16] Cfr. *Discorsi*, I, 27: "gli uomini non sanno... come una malizia ha in sé grandezza, o è in alcuna parte generosa."

* XVI. *Della liberalità e della parsimonia*.
[1] *Cominciandomi*: riferendomi.
[2] Sottinteso: tale; cioè: liberale.

debbe usare, la non fia conosciuta, e non ti cascherà[3] la infamia del suo contrario. E però, a volersi mantenere infra gli uomini el nome del liberale, è necessario non lasciare indrieto alcuna qualità di suntuosità; talmente che sempre uno principe cosí fatto consumerà in simili opere tutte le sue faculdà, e sarà necessitato alla fine, se si vorrà mantenere el nome del liberale, gravare e' populi estraordinariamente ed essere fiscale,[4] e fare tutte quelle cose che si possano fare per avere danari. Il che comincerà a farlo odioso con sudditi, e poco stimare da nessuno,[5] diventando povero; in modo che, con questa sua liberalità, avendo offeso gli assai e premiato e' pochi, sente ogni primo disagio, e periclita in qualunque primo periculo; il che conoscendo lui, e volendosene ritrarre, incorre subito nella infamia del misero.[6]

Uno principe, adunque, non potendo usare questa virtú del liberale, sanza suo danno, in modo che la sia conosciuta, debbe, s'egli è prudente, non si curare del nome del misero: perché col tempo sarà tenuto sempre piú liberale; veggendo che con la sua parsimonia le sua intrate li bastano, può defendersi da chi li fa guerra, può fare imprese sanza gravare e' populi; talmente che viene a usare liberalità a tutti quelli a chi non toglie, che sono infiniti, e miseria a tutti coloro a chi non dà, che sono pochi. Ne' nostri tempi non abbiamo veduto fare gran cose se non a quelli che sono stati tenuti miseri: gli altri essere spenti.[7] Papa Iulio II, come si fu servito del nome del liberale per aggiugnere al papato,[8] non pensò poi a mantenerselo, per potere fare guerra[9]; el re di Francia presente ha fatto tante guerre sanza porre uno dazio estraordinario a' suoi, solum perché alle superflue spese

[3] *non ti cascherà*: non cadrà; non potrai evitare.
[4] *fiscale*: esoso; oppressore dei suoi sudditi per la pesantezza delle imposte.
[5] *e poco stimare da nessuno*: cioè: non stimato da alcuno.
[6] Cfr. il giudizio del Machiavelli sull'imperatore Massimiliano nel *Rapporto delle cose della Magna*. Per *misero*, cfr. n. 8 al cap. XV, p. 90.
[7] *spenti*: caduti in rovina.
[8] *aggiugnere*: conquistare. Comprò la sua elezione.
[9] Dopo la sua elezione vendette le alte cariche ecclesiastiche. Cfr. cap. XI.

ha sumministrato la lunga parsimonia sua[10]; el re di Spagna presente, se fussi tenuto liberale, non arebbe fatto né vinto tante imprese.[11]

Pertanto, uno principe debbe esistimare poco, per non avere a rubare[12] e' sudditi, per potere defendersi, per non diventare povero e contenendo, per non essere forzato[13] di diventare rapace, di incorrere nel nome del misero; perché questo è uno di quelli vizii che lo fanno regnare. E se alcuno dicessi: Cesare con la liberalità pervenne allo imperio,[14] e molti altri, per essere stati ed essere tenuti liberali, sono venuti a gradi grandissimi; rispondo: o tu se' principe fatto, o tu se' in via di acquistarlo: nel primo caso, questa liberalità è dannosa; nel secondo, è bene necessario essere tenuto liberale. E Cesare era uno di quelli che voleva pervenire al principato di Roma; ma se, poi che vi fu venuto, fussi sopravvissuto e non si fussi temperato da quelle spese, arebbe destrutto quello imperio. E se alcuno replicassi: molti sono stati principi, e con gli eserciti hanno fatto gran cose, che sono stati tenuti liberalissimi; ti rispondo: o el principe spende del suo e de' sua sudditi o di quello d'altri[15]; nel primo caso, debbe essere parco; nell'altro, non debbe lasciare indrieto parte alcuna di liberalità. E quel principe che va con gli eserciti, che si pasce di prede, di sacchi e di taglie,[16] maneggia quello di altri, li è necessaria questa liberalità; altrimenti, non sarebbe seguito da' soldati. E di quello che non è tuo, o de' sudditi tuoi, si può essere più largo donatore, come fu Ciro, Cesare ed Alessandro; perché lo spendere quello di altri non ti toglie reputazione, ma te ne aggiugne: solamente lo spendere el tuo è quello che ti nuoce. E non ci è cosa che consumi se stessa quanto la liberalità: la quale mentre che tu usi, perdi la facultà di usarla, e diventi o povero e contennendo, o, per fug-

[10] Cfr. il *Ritratto di cose di Francia*. Il re cui allude è Luigi XII.
[11] "Taccagno et avaro" è definito Ferdinando il Cattolico dal Machiavelli nella lettera a F. Vettori del 26 agosto 1513 (*Lettere*, 214).
[12] *rubare*: derubare.
[13] *forzato*: costretto.
[14] Cfr. ad es. Suetonio, *Caes.*, 10, 13 e sgg.
[15] *d'altri*: dei nemici vinti.
[16] *taglie*: imposte.

gire la povertà, rapace e odioso. E intra tutte le cose di che uno principe si debbe guardare, è lo essere contennendo e odioso; e la liberalità all'una e l'altra cosa ti conduce. Pertanto è piú sapienzia[17] tenersi el nome del misero, che parturisce una infamia sanza odio, che, per volere el nome del liberale, essere necessitato incorrere nel nome del rapace, che parturisce una infamia con odio.

XVII.

De crudelitate et pietate; et an sit melius amari quam timeri, vel e contra*

Scendendo appresso alle altre preallegate qualità, dico che ciascuno principe debbe desiderare di essere tenuto pietoso e non crudele: nondimanco debbe avvertire di non usare male questa pietà. Era tenuto Cesare Borgia crudele; nondimanco quella sua crudeltà aveva racconcia la Romagna, unitola, ridottola in pace e in fede.[1] Il che se si considerrà bene, si vedrà quello essere stato molto piú pietoso che il populo fiorentino, il quale, per fuggire el nome del crudele, lasciò destruggere Pistoia.[2] Debbe, pertanto, uno principe non si curare della infamia di crudele,[3] per tenere li sudditi suoi uniti e in fede; perché, con pochissimi esempli,[4] sarà piú pietoso che quelli e' quali, per troppa pietà, lasciono seguire e' disordini, di che ne nasca[5] occisioni o rapine; perché queste sogliono offendere

---

[17] *sapienzia*: saggezza.

* XVII. *Della crudeltà e pietà e s'elli è meglio esser amato che temuto, o piú tosto temuto che amato.*
[1] Cfr. *Discorsi*, III, 29.
[2] Favorendo le contese delle due fazioni rivali dei Panciatichi e dei Cancellieri. "Tener Pisa con le fortezze, Pistoia con le parti" era una celebre massima dei reggitori fiorentini. Cfr. quanto in contrario scriveva Machiavelli nel *De rebus pistoriensibu*s: "Prohibire, spegnere e annullare tuct'e dua le parte."
[3] Cfr., in termini piú generali, quanto Machiavelli scrive in *Discorsi*, I, 9.
[4] *esempli*: qui: comportamenti esemplari.
[5] *ne nasca*: ne nascono, ne derivano.

una universalità intera,[6] e quelle esecuzioni che vengono dal principe offendono uno particulare. E intra tutti e' principi, al principe nuovo è impossibile fuggire el nome del crudele, per essere li stati nuovi pieni di periculi.[7] E Virgilio,[8] nella bocca di Dido, dice:

> Res dura, et regni novitas talia cogunt
> moliri, et late fines custode tueri.

Nondimanco debbe essere grave[9] al credere e al muoversi, né si fare paura da se stesso; e procedere in modo, temperato con prudenzia e umanità, che la troppa confidenzia non lo facci incauto e la troppa diffidenzia non lo renda intollerabile.

Nasce da questo una disputa: s'egli è meglio essere amato che temuto, o e converso.[10] Rispondesi che si vorrebbe essere l'uno e l'altro; ma perché egli è difficile accozzarli insieme, è molto piú sicuro essere temuto che amato, quando si abbia a mancare dell'uno de' dua. Perché degli uomini si può dire questo generalmente: che sieno ingrati, volubili, simulatori e dissimulatori, fuggitori de' pericoli, cupidi di guadagno; e mentre fai loro bene, sono tutti tua, offeronti el sangue, la roba, la vita, e' figliuoli, come di sopra dissi,[11] quando il bisogno è discosto; ma, quando ti si appressa, e' si rivoltano. E quel principe che si è tutto fondato in sulle parole loro, trovandosi nudo di altre preparazioni, rovina; perché le amicizie che si acquistano col prezzo, e non con grandezza e nobiltà di animo, si meritano,[12] ma le non si hanno,[13] e a' tempi[14] non si possono spendere. E gli uomini hanno meno re-

[6] *una universalità intera*: un'intera comunità.

[7] Vedi il già cit. *Discorsi*, I, 9 e il tema del legislatore e del fondatore di uno stato. E vedi anche III, 1.

[8] Cfr. Virgilio, *Aen.*, I, 563-64: "La grave circostanza e la novità del regno mi costringono a usare tali modi e a difendere tutt'intorno i confini." Sono le parole di Didone al troiano Ilioneo.

[9] *grave*: riflessivo, ponderato.

[10] Cfr. *Discorsi*, III, 19.

[11] Nel cap. IX.

[12] *si meritano*: si comprano (*mereor*).

[13] *si hanno*: si posseggono.

[14] *a' tempi*: nelle circostanze avverse (*temporibus*). Cfr. *Discorsi*, II, 30; III, 30 (a proposito di Pier Soderini).

spetto a offendere uno che si facci amare, che uno che si facci temere; perché l'amore è tenuto da uno vinculo di obligo, il quale, per essere gli uomini tristi,[15] da ogni occasione di propria utilità è rotto; ma il timore è tenuto da una paura di pena che non ti abbandona mai.

Debbe nondimanco el principe farsi temere in modo che, se non acquista lo amore, che fugga l'odio; perché può molto bene stare insieme essere temuto e non odiato; il che farà sempre, quando si astenga dalla roba de' sua cittadini e de' sua sudditi, e dalle donne loro.[16] E quando pure li bisognasse procedere contro al sangue di alcuno, farlo quando vi sia iustificazione conveniente e causa manifesta; ma, sopra tutto, astenersi dalla roba d'altri; perché gli uomini sdimenticano piú presto la morte del padre che la perdita del patrimonio. Di poi, le cagioni del torre la roba non mancano mai; e, sempre, colui che comincia a vivere con rapina, truova cagione di occupare[17] quel d'altri; e, per adverso,[18] contro al sangue sono piú rare e mancano piú presto.

Ma quando el principe è con gli eserciti e ha in governo moltitudine di soldati, allora al tutto è necessario non si curare del nome del crudele; perché sanza questo nome, non si tenne mai esercito unito né disposto ad alcuna fazione.[19] Intra le mirabili azioni di Annibale si connumera[20] questa, che', avendo uno esercito grossissimo, misto di infinite generazioni[21] di uomini, condotto a militare in terre aliene,[22] non vi surgessi mai alcuna dissensio-

---

[15] tristi: malvagi, scellerati. Cfr. n. 5 al cap. XV, p. 90.
[16] Cfr. Discorsi, III, 19: "Ma questa [la pena] anche debbe essere in modo moderata, che si fugga l'odio; perché farsi odiare non tornò mai bene ad alcuno principe. Il modo di fuggirlo è lasciare stare la roba de' sudditi: perché del sangue, quando non vi sia sotto ascosa la rapina, nessuno principe ne è desideroso, se non necessitato e questa necessità viene rade volte; ma sendovi mescolata la rapina, viene sempre; né mancano mai le cagioni ed il desiderio di spargerlo." Vedi anche, per un altro es., Discorsi, I, 37: "Vedesi... quanto gli uomini stimano piú la roba che gli onori."
[17] occupare: impadronirsi.
[18] per adverso: al contrario.
[19] Cfr. Discorsi, I, 33-34 (dittatura); III, 38.
[20] si connumera: si enumera. L'esempio è tratto da Polibio (XI, 9), ma si fonda anche su quanto scrive Livio (XXI, 4).
[21] generazioni: stirpi, razze.
[22] aliene: straniere (alienus).

96

ne, né infra loro né contro al principe, cosí nella cattiva come nella sua buona fortuna. Il che non poté nascere da altro che da quella sua inumana crudeltà[23]; la quale, insieme con infinite sua virtú, lo fece sempre, nel cospetto de' suoi soldati, venerando e terribile; e, sanza quella, a fare quello effetto le altre sua virtú non li bastavano. E li scrittori, in questo poco considerati, dall'una parte ammirano questa sua azione, e dall'altra dannono la principale cagione di essa.[24]

E che sia vero che l'altre sua virtú non sarebbano bastate, si può considerare in Scipione, rarissimo non solamente ne' tempi sua, ma in tutta la memoria delle cose che si sanno: dal quale gli eserciti suoi in Ispagna si rebellorono[25]; il che non nacque da altro che dalla troppa sua pietà, la quale aveva data a' suoi soldati piú licenzia che alla disciplina militare non si conveniva. La qual cosa li fu da Fabio Massimo in senato rimproverata, e chiamato da lui corruttore della romana milizia.[26] E' Locrensi,[27] sendo stati da uno legato di Scipione destrutti, non furono da lui vendicati, né la insolenzia di quello legato corretta, nascendo tutto da quella sua natura facile; talmente che, volendolo alcuno in senato escusare, disse[28] come egli erano[29] di molti uomini che sapevano meglio non errare che correggere gli errori; la qual natura arebbe col tempo violato la fama e la gloria di Scipione, se egli

[23] *inhumana crudelitas*, attribuita ad Annibale da Livio, XXI, 4, 10. E cfr. *Discorsi*, III, 21. E cfr. anche la già cit. lettera al Vettori (214) del 26 agosto 1513. Inoltre i *Ghiribizzi* al Soderini; i capp. 7-9; 19-23 del III libro dei *Discorsi*, dove tornano gli esempi di Annibale e Scipione interpretati alla luce del principio di adeguare il comportamento ai tempi. Cfr. infine *Principe*, XXV.
[24] Importante polemica, che tende a fissare, fuori da ogni categoria etica tradizionale, la scoperta della "neutralità" delle qualità considerate buone o cattive. Nella concezione del Machiavelli esse prendono senso soltanto dalla particolare e concreta realtà del momento. Cfr. nota precedente.
[25] Nel 206 a.C. Cfr. Livio, XXVIII, 24-30.
[26] Cfr. Livio, XXIX, 19, 2. L'accusa che egli fosse nato per corrompere la disciplina militare gli fu mossa da Quinto Fabio Massimo Rulliano.
[27] I locresi vennero depredati da Q. Pleminio, propretore lasciato in Sicilia da Scipione. Questi non lo volle condannare e puní solamente alcuni tribuni militari. Cfr. Livio, XXIX, 15-21.
[28] Quinto Metello. Cfr. Livio, XXIX, 20.
[29] *come egli erano*: come vi erano, come vi fossero.

avessi con essa perseverato nello imperio[30]; ma, vivendo sotto el governo del senato, questa sua qualità dannosa non solum si nascose, ma li fu a gloria.

Concludo, adunque, tornando allo essere temuto e amato, che, amando gli uomini a posta[31] loro, e temendo a posta del principe, debbe uno principe savio fondarsi in su quello che è suo, non in su quello che è d'altri: debbe solamente ingegnarsi di fuggire l'odio, come è detto.

XVIII.

Quomodo fides a principibus sit servanda*

Quanto sia laudabile in uno principe mantenere la fede e vivere con integrità e non con astuzia, ciascuno lo intende; nondimanco si vede, per esperienzia ne' nostri tempi, quelli principi avere fatto gran cose, che della fede hanno tenuto poco conto, e che hanno saputo con l'astuzia aggirare e' cervelli degli uomini; e alla fine hanno superato quelli che si sono fondati in sulla lealtà.[1]

Dovete, adunque, sapere come sono dua generazioni[2] di combattere: l'uno con le leggi, l'altro con la forza: quel primo è proprio dello uomo, quel secondo è delle bestie: ma perché el primo molte volte non basta, conviene ricorrere al secondo.[3] Pertanto, a uno principe è necessario sapere bene usare la bestia e l'uomo. Questa par-

---

[30] *imperio*: supremo comando militare.
[31] *a posta*: a piacere; secondo il volere.

* XVIII. *In che modo e' principi abbino a mantenere la fede.*
[1] Il Machiavelli pensa soprattutto a Ferdinando il Cattolico, come ben si rileva, ad es. dal suo epistolario col Vettori. E cfr. anche, sul re di Spagna, il giudizio del Guicciardini nella sua *Relazione di Spagna* (F. Guicciardini, *Scritti autobiografici e rari*, Bari, Laterza, 1936, p. 138).
[2] *generazioni*: dal lat. *genus*: modi, guise, maniere.
[3] Cfr. Cicerone, *De off.*, I, 11, 34: "Giacché vi sono due modi di dirimere le controversie (*duo genera decertandi*): l'uno mediante la discussione (*per disceptationem*), l'altro mediante la forza (*alterum per vim*). Ed essendo l'uno proprio dell'uomo, l'altro dei bruti (*illud proprium hominis; hoc beluarum*), bisogna ricorrere al secondo solo se non è possibile valersi del primo."

te è suta insegnata a' principi copertamente[4] dagli antichi scrittori; li quali scrivono come Achille e molti altri di quelli principi antichi furono dati a nutrire a Chirone centauro,[5] che sotto la sua disciplina li custodissi.[6] Il che non vuole dire altro, avere per precettore uno mezzo bestia e mezzo uomo, se non che bisogna a uno principe sapere usare l'una e l'altra natura; e l'una sanza l'altra non è durabile.[7]

Sendo, dunque, uno principe necessitato sapere bene usare la bestia, debbe di quelle pigliare la golpe e il lione[8]; perché il lione non si defende da' lacci, la golpe non si defende da' lupi. Bisogna, adunque, essere golpe a conoscere e' lacci, e lione a sbigottire e' lupi. Coloro che stanno semplicemente in sul lione, non se ne intendano. Non può, pertanto, uno signore prudente, né debbe, osservare la fede, quando tale osservianza li torni contro e che sono spente le cagioni che la feciono promettere.[9] E se gli uomini fussino tutti buoni, questo precetto non sarebbe buono; ma perché sono tristi, e non la osservarebbono a te, tu etiam non l'hai ad osservare a loro. Né mai a uno principe mancorono cagioni legittime di colorire[10] la inosservanzia. Di questo se ne potrebbe dare infiniti esempli moderni e mostrare quante paci, quante promesse sono state fatte irrite[11] e vane per la infidelità de' principi: e quello che ha saputo meglio usare la golpe, è meglio capitato.[12] Ma è necessario questa natura saperla bene colorire, ed essere gran simulatore e dissimulatore[13]:

---

[4] *copertamente*: allusivamente; sotto velo mitologico.
[5] Chirone fu maestro dei maggiori eroi dell'antichità: Esculapio, Giasone, Ercole, Teseo, Achille.
[6] *li custodissi*: li educasse (*custodio*).
[7] *non è durabile*: non dà effetti duraturi.
[8] *la golpe e il lione*: la natura di volpe e di leone. Cfr. Cicerone, *De off.*, I, 13, 41 e Senofonte, *Ciropedia*, I, 6, 27: "sappi che chi vuol giungere a tanto deve essere ardito e astuto, capace di raggirare e ingannare, di rubare e rapire, in tutto piú abile e piú violento degli avversari." E cfr. *Discorsi*, II, 13, dove è richiamato il passo di Senofonte. Sul tema della "fraude," cfr. anche *Discorsi*, III, 40 e 43.
[9] Cfr. *Discorsi*, III, 42.
[10] *colorire*: giustificare.
[11] *irrite* (*irritus*; *in* e *ratus*): senza effetto, senza valore.
[12] *è meglio capitato*: ha avuto miglior successo.
[13] Cosí Machiavelli definí spesso il Valentino.

e sono tanto semplici[14] gli uomini, e tanto obediscano alle necessità presenti, che colui che inganna, troverrà sempre chi si lascerà ingannare.

Io non voglio, degli esempli freschi, tacerne uno. Alessandro VI non fece mai altro, non pensò mai ad altro, che a ingannare uomini: e sempre trovò subietto[15] da poterlo fare. E non fu mai uomo che avessi maggiore efficacia in asseverare,[16] e con maggiori giuramenti affermassi una cosa, che la osservassi meno: nondimeno sempre li succederono gli inganni ad votum,[17] perché conosceva bene questa parte del mondo.

A uno principe, adunque, non è necessario avere in fatto tutte le soprascritte qualità, ma è bene necessario parere di averle.[18] Anzi ardirò di dire questo, che, avendole e osservandole sempre, sono dannose; e parendo di averle, sono utili; come parere pietoso, fedele, umano, intero, religioso, ed essere[19]; ma stare in modo edificato[20] con l'animo, che, bisognando non essere, tu possa e sappi mutare el contrario. E hassi ad intendere questo, che uno principe, e massime uno principe nuovo, non può osservare tutte quelle cose per le quali gli uomini sono tenuti buoni, sendo spesso necessitato, per mantenere lo stato, operare contro alla fede, contro alla carità, contro alla umanità, contro alla religione.[21] E però bisogna che egli abbia uno animo disposto a volgersi secondo ch'e' venti della fortuna e le variazioni delle cose li comandano, e,

---

[14] *semplici*: ingenui, creduloni. Cfr. ad es. *Discorsi*, I, 53; II, 22, ecc.
[15] *subietto*: materia.
[16] *asseverare*: affermare con solennità (*assevero*).
[17] *ad votum*: secondo il proprio desiderio, la propria intenzione.
[18] Cfr. *Discorsi*, I, 25: "perché lo universale degli uomini si pascono cosí di quel che pare come di quello che è: anzi, molte volte si muovono piú per le cose che paiono che per quelle che sono." Invece Senofonte (*Ciropedia*, I, 6, 23): "La strada piú corta per acquistarsi fama di saggio nelle cose in cui vuoi parere tale, è l'esserlo realmente." E Guicciardi (*Ricordi*, C 44): "Fate ogni cosa per parere buoni ché serve a infinite cose; ma perché le opinioni false non durano, difficilmente vi riuscirà el parere lungamente buoni se in verità non sarete."
[19] *ed essere*: cioè: e possedere tutte le qualità sopra menzionate.
[20] *edificato*: disposto.
[21] Cfr. l'esempio di Romolo, fondatore di Roma, in *Discorsi*, I, 9.

come di sopra dissi, non partirsi dal bene, potendo, ma sapere intrare nel male, necessitato.[22]

Debbe, adunque, avere uno principe gran cura che non gli esca mai di bocca una cosa che non sia piena delle soprascritte cinque qualità; e paia, a vederlo e udirlo, tutto pietà, tutto fede, tutto integrità, tutto umanità, tutto religione. E non è cosa più necessaria a parere di avere che questa ultima qualità.[23] E gli uomini, in universali,[24] iudicano più agli occhi che alle mani; perché tocca[25] a vedere a ognuno, a sentire a pochi. Ognuno vede quello che tu pari, pochi sentono quello che tu se'; e quelli pochi non ardiscano opporsi alla opinione di molti che abbino la maestà dello stato che li defenda[26]; e nelle azioni di tutti gli uomini, e massime de' principi, dove non è iudizio a chi reclamare,[27] si guarda al fine.[28] Facci dunque uno principe di vincere[29] e mantenere lo stato: e' mezzi saranno sempre iudicati onorevoli e da ciascuno laudati; perché il vulgo ne va sempre preso con quello che pare, e con lo evento della cosa; e nel mondo non è se non vulgo; e li pochi non ci hanno luogo quando li assai hanno dove appoggiarsi.[30] Alcuno principe de' presenti tempi, quale non è bene nominare,[31] non predica mai altro che pace e fede, e dell'una e dell'altra è inimicissimo; e l'una e l'altra, quando e' l'avessi osservata, gli arebbe più volte tolto o la reputazione o lo stato.

---

[22] *necessitato*: costretto. E vedi, in proposito, n. 23 al cap. XVII, p. 97.
[23] Sull'utilità della religione, cfr. *Discorsi*, I, 11-15.
[24] *in universali*: in generale; generalmente parlando.
[25] *tocca*: capita, accade.
[26] *e quelli... che li defenda*: e anche quei pochi che sanno vedere al di là delle apparenze non osano opporsi all'opinione vulgata, timorosi del generale consenso.
[27] *iudizio a chi reclamare*: tribunale cui ricorrere.
[28] *si guarda al fine*: si bada all'esito reale.
[29] *vincere*: domare, tener saldo e ossequiente (*vincere*).
[30] *e li pochi... appoggiarsi*: e quei pochi che pur vedono le intenzioni nascoste, nulla possono (*non ci hanno luogo*) quando i molti, per quanto ciechi, hanno il principe (*dove*) dalla loro parte.
[31] Allude a Ferdinando il Cattolico.

XIX.

De contemptu et odio fugiendo*

Ma perché, circa le qualità di che di sopra si fa menzione, io ho parlato delle piú importanti, l'altre voglio discorrere brevemente sotto queste generalità[1]: che il principe pensi, come di sopra in parte è detto,[2] di fuggire quelle cose che lo faccino odioso e contennendo, e qualunque volta fuggirà questo arà adempiuto le parti sua[3] e non troverrà nelle altre infamie periculo alcuno. Odioso lo fa, sopra tutto, come io dissi,[4] lo essere rapace e usurpatore della roba e delle donne de' sudditi: di che si debbe astenere; e qualunque volta alle universalità[5] degli uomini non si toglie né roba né onore, vivono contenti; e solo si ha a combattere con la ambizione di pochi, la quale in molti modi, e con facilità, si raffrena. Contennendo lo fa essere tenuto vario, leggieri, effeminato, pusillanime, irresoluto: da che uno principe si debbe guardare come da uno scoglio, e ingegnarsi che nelle azioni sua si riconosca grandezza, animosità, gravità, fortezza[6]; e, circa e' maneggi privati de' sudditi,[7] volere che la sua sentenzia sia irrevocabile; e si mantenga in tale opinione, che alcuno non pensi né a ingannarlo né ad aggirarlo.[8]

Quel principe che dà di sé questa opinione, è reputato assai; e contro a chi è reputato con difficultà si coniura, con difficultà è assaltato, purché si intenda che sia eccellente e reverito da' suoi. Perché uno principe debbe avere dua paure; una drento, per conto de' sudditi; l'altra di fuora, per conto de' potentati esterni. Da questa si defende con le buone arme e con li buoni amici; e sem-

---

* XIX. *In che modo si abbia a fuggire lo essere sprezzato e odiato.*
[1] *sotto queste generalità*: in questi termini generali.
[2] Cfr. il cap. XVI.
[3] *le parti sua*: il suo dovere; ciò che gli attiene (dal lat. *partes*).
[4] Cfr. n. 2, *supra*.
[5] *alle universalità*: alle comunità. E cfr. anche *Discorsi* III, 6: "la roba e l'onore sono quelle due cose che offendono piú gli uomini che alcun'altra offesa."
[6] Cfr. *Discorsi,* I, 38; II, 15; II, 23; III, 31; ecc.
[7] Cioè: nelle private contese tra sudditi.
[8] Puoi vedere uno sviluppo di questa osservazione in *Discorsi,* I, 45.

pre, se arà buone arme, arà buoni amici; e sempre staranno ferme le cose di drento, quando stieno ferme quelle di fuora, se già le non fussino perturbate da una coniura[9]; e quando pure quelle di fuora movessino, s'egli è ordinato e vissuto come ho detto, quando non si abbandoni,[10] sempre sosterrà ogni impeto, come io dissi che fece Nabide spartano.[11] Ma circa e' sudditi, quando le cose di fuora non muovino, si ha a temere che non coniurino secretamente[12]: del che il principe si assicura assai, fuggendo lo essere odiato o disprezzato, e tenendosi el populo satisfatto di lui; il che é necessario conseguire, come di sopra a lungo si disse.[13] E uno de' piú potenti rimedii che abbi uno principe contro alle coniure, è non essere odiato dallo universale: perché sempre chi coniura crede, con la morte del principe, satisfare al populo; ma quando creda offenderlo,[14] non piglia animo a prendere simile partito, perché le difficultà che sono dalla parte de' coniuranti sono infinite. E per esperienzia si vede molte essere state le coniure, e poche avere avuto buon fine; perché chi coniura non può essere solo, né può prendere compagnia se non di quelli che creda esser mal contenti; e subito che a uno mal contento tu hai scoperto l'animo tuo, gli dài materia a contentarsi,[15] perché manifestamente lui ne può sperare ogni commodità: talmente che, veggendo el guadagno fermo da questa parte,[16] e dall'altra[17] veggendolo dubio e pieno di periculo, conviene bene o che sia raro amico, o che sia, al tutto, ostinato inimico del

[9] Sulle congiure, cfr. *Discorsi*, III, 6. Sull'ordine interno ed esterno, cfr. *Discorsi*, II, 1-2 e *passim*.
[10] *non si abbandoni*: non ceda allo sconforto e all'inerzia.
[11] Cfr. n. 21 al cap. IX, p. 68.
[12] Cfr. il già cit. 6° cap. del III libro dei *Discorsi*.
[13] Su questo rilevantissimo tema del consenso, che percorre un po' tutto il *Principe* (e ancor piú i *Discorsi*), ci siamo piú volte soffermati. Si può vedere quanto scrive Senofonte (*Ciropedia*, I, 6, 25): "Ma l'amore dei sudditi, elemento fra i piú importanti per il buon governo di uno stato, lo si conseguirà... mostrando di essere un benefattore per il popolo."
[14] Cioè: di offendere il popolo.
[15] *gli dài... a contentarsi*: gli offri occasione perché divenga soddisfatto, in quanto — come dice subito — può trar vantaggio dalla notizia denunciandola al principe.
[16] Cioè: denunciando la congiura.
[17] *dall'altra*: cioè: mantenendo il segreto.

principe, ad osservarti la fede.[18] E per ridurre la cosa in brevi termini, dico che, dalla parte del coniurante, non è se non paura, gelosia, sospetto di pena che lo sbigottisce; ma, dalla parte del principe, è la maestà del principato, le leggi, le difese degli amici e dello stato che lo defendano: talmente che, aggiunto a tutte queste cose la benivolenzia populare, è impossibile che alcuno sia sí temerario che coniuri. Perché, per lo ordinario, dove uno coniurante ha a temere innanzi alla[19] esecuzione del male, in questo caso debbe temere ancora poi (avendo per inimico el popolo) seguíto lo eccesso,[20] né potendo per questo sperare refugio alcuno.

Di questa materia se ne potria dare infiniti esempli; ma voglio solo essere contento di uno, seguíto alla memoria[21] de' padri nostri. Messer Annibale Bentivogli, avolo del presente messer Annibale, che era principe in Bologna, sendo da' Canneschi, che gli coniurorono contro, ammazzato, né rimanendo di lui altri che messer Giovanni, che era in fasce, subito dopo tale omicidio, si levò il populo e ammazzò tutti e' Canneschi.[22] Il che nacque dalla benivolenzia populare che la casa de' Bentivogli aveva in quelli tempi: la quale fu tanta, che, non restando di quella alcuno in Bologna che potessi, morto Annibale, reggere lo stato, e avendo indizio come in Firenze era uno nato de' Bentivogli che si teneva fino allora figliuolo di uno fabbro, vennono e' Bolognesi per quello in Firenze, e li dettono el governo di quella città[23]: la quale fu governata da lui fino a tanto che messer Giovanni pervenissi in età conveniente al governo.

Concludo, pertanto, che uno principe debbe tenere delle coniure poco conto, quando il popolo li sia benivolo; ma, quando li sia inimico e abbilo in odio, debbe temere d'ogni cosa e d'ognuno. E li stati bene ordinati

[18] *ad osservarti la fede*: a mantenere il segreto che tu gli hai confidato.
[19] *innanzi alla*: prima della (esecuzione della congiura).
[20] *seguíto lo eccesso*: portato a termine il delitto (*excessus*).
[21] *alla memoria*: al tempo.
[22] L'uccisione di Annibale I Bentivoglio avvenne il 24 giugno 1445 per mano di Batista Canneschi. Cfr. *Istorie fiorentine*, VI, 9.
[23] Sante Bentivoglio, che governò la città dal 1445 al 1462. Cfr. *Istorie fiorentine*, VI, 10.

e li principi savi hanno con ogni diligenzia pensato di non desperare e' grandi,[24] e di satisfare al populo e tenerlo contento; perché questa è una delle piú importanti materie che abbia uno principe.

Intra' regni bene ordinati e governati, a' tempi nostri, è quello di Francia: e in esso si trovano infinite costituzione buone, donde depende la libertà e sicurtà del re. Delle quali la prima è il parlamento e la sua autorità[25]; perché quello che ordinò quel regno, conoscendo la ambizione de' potenti e la insolenzia loro, e iudicando essere loro necessario uno freno in bocca che li correggessi e, dall'altra parte, conoscendo l'odio dello universale contro a' grandi fondato in sulla paura, e volendo assicurarli, non volse che questa fussi particulare cura del re, per torli quel carico[26] ch'e' potessi avere co' grandi favorendo e' populari, e con li populari favorendo e' grandi; e però costituí uno indice terzo, che fussi quello che, sanza carico del re, battessi e' grandi e favorissi e' minori.[27] Né possé essere questo ordine migliore né piú prudente, né che sia maggiore cagione della securtà del re e del regno. Di che si può trarre un altro[28] notabile: che li principi debbano le cose di carico fare sumministrare ad altri, quelle di grazia a loro medesimi.[29] Di nuovo concludo che uno principe debbe stimare e' grandi, ma non si fare odiare dal populo.

Parrebbe forse a molti, considerato la vita e morte di alcuno imperatore romano, che fussino esempli contrarii a questa mia opinione, trovando alcuno essere vissuto sempre egregiamente e mostro grande virtú d'animo, nondimeno avere perso lo imperio, ovvero essere stato

[24] *non desperare e' grandi*: non porre i magnati, i cittadini piú autorevoli (*e' grandi*), in situazione tale da perdere ogni speranza (e interesse) nel principe.
[25] Il parlamento cominciò a funzionare in Francia attorno al 1254 e divenne istituzione fissa con Filippo IV il Bello, nel 1302. Cfr. il *Ritratto di cose di Francia*.
[26] *carico*: peso, responsabilità, odiosa incombenza.
[27] Cfr., piú in generale, quanto Machiavelli scrive sull'istituzione del tribunato della plebe in *Discorsi*, I, 3-5.
[28] *un altro*: un altro principio; un'altra norma.
[29] Cfr. *Discorsi*, I, 51.

morto[30] da' suoi che gli hanno coniurato contro. Volendo, pertanto, rispondere a queste obiezioni, discorrerò le qualità di alcuni imperatori, mostrando le cagioni della loro ruina, non disforme da quello che da me si è addutto[31]; e parte[32] metterò in considerazione quelle cose che sono notabili a chi legge le azioni di quelli tempi. E voglio mi basti pigliare tutti quegli imperatori che succederono allo imperio da Marco filosofo a Massimino[33] li quali furono Marco, Commodo suo figliuolo, Pertinace, Iuliano, Severo, Antonino Caracalla suo figliuolo, Macrino, Eliogabalo, Alessandro e Massimino. Ed è, prima, da notare che, dove negli altri principati si ha solo a contendere con la ambizione de' grandi e insolenzia de' populi, gli imperadori romani avevano una terza difficultà: di avere a sopportare la crudeltà e avarizia[34] de' soldati. La qual cosa era sí difficile, che la fu cagione della ruina di molti, sendo difficile satisfare a' soldati e a' populi; perché e' populi amavono la quiete, e per questo amavono e' principi modesti,[35] e li soldati amavono el principe di animo militare e che fussi insolente, crudele e rapace; le quali cose volevano che lui esercitassi ne' populi, per potere avere duplicato[36] stipendio e sfogare la loro avarizia e crudeltà. Le quali cose feciono che quegli imperadori, che, per natura o per arte,[37] non aveano una grande reputazione, tale che con quella tenessino l'uno e l'altro in freno,[38] sempre ruinavono. E li piú di loro, massime quelli che come uomini nuovi[39] venivano al principato, conosciuta la difficultà di questi dua diversi umori, si volgevano a satisfare a' soldati, stimando poco lo iniuriare il populo. Il quale partito era necessario: perché, non potendo e' principi mancare[40] di non essere odiati da qual-

---

[30] *morto*: ucciso.
[31] *addutto*: addotto, argomentato.
[32] *e parte*: qui e altrove: e intanto.
[33] Cioè: dal 161 al 238.
[34] *avarizia*: cupidigia (*avaritia*).
[35] *modesti*: che si tenevano nei limiti del giusto, moderati (*modestus*).
[36] *duplicato*: raddoppiato (con le rapine).
[37] *arte*: qui: capacità personali.
[38] *l'uno e l'altro*: il popolo e l'esercito.
[39] *uomini nuovi*: qui anche nel senso di inesperti. Cfr. n. 43, *infra*.
[40] *non potendo... mancare*: essendo per i principi impossibile.

cuno, si debbano prima forzare[41] di non essere odiati dalle università[42]; e, quando non possano conseguire questo, si debbano ingegnare con ogni industria fuggire l'odio di quelle università che sono piú potenti. E però quegli imperatori che per novità[43] avevano bisogno di favori estraordinarii, si aderivano a' soldati piú tosto che a' populi; il che tornava loro, nondimeno, utile o no, secondo che quel principe si sapeva mantenere reputato con loro. Da queste cagioni sopradette nacque che Marco, Pertinace e Alessandro,[44] sendo tutti di modesta vita, amatori della iustizia, inimici della crudeltà, umani, benigni, ebbono tutti, da Marco in fuora, tristo fine. Marco solo visse e morí onoratissimo, perché lui succedé allo imperio iure hereditario,[45] e non aveva a riconoscere quello né da' soldati né da' populi; di poi, sendo accompagnato da molte virtú che lo facevano venerando, tenne sempre, mentre che visse, l'uno ordine e l'altro intra e' termini suoi, e non fu mai né odiato né disprezzato. Ma Pertinace, creato imperatore contro alla voglia de' soldati, li quali, sendo usi a vivere licenziosamente sotto Commodo, non poterono sopportare quella vita onesta alla quale Pertinace li voleva ridurre, onde avendosi creato odio, e a questo odio aggiunto il disprezzo sendo vecchio, ruinò ne' primi principii della sua ammanistrazione.[46]

E qui si debbe notare che l'odio s'acquista cosí mediante le buone opere, come le triste[47]: e però, come io dissi di sopra, volendo uno principe, mantenere lo stato, è spesso forzato a non essere buono; perché, quando quella università, o populi o soldati o grandi che sieno, della

[41] *si debbano prima forzare*: devono, per prima cosa, fare ogni sforzo.
[42] *università*: comunità.
[43] *per novità*: per essere "nuovi"; per non essere ascesi all'impero per diritto ereditario.
[44] Marco Aurelio Antonino (161-169); Publio Elvio Pertinace (1 gennaio-26 marzo 193) venne ucciso dai pretoriani; Alessandro Severo (222-235), ucciso anch'egli dai suoi soldati per incitamento di Massimino che gli succedette.
[45] *iure hereditario*: per diritto ereditario. Venne designato alla successione da Antonino.
[46] La fonte di tutta questa rassegna è costituita dalla *Storia dell'impero dopo Marco* di Erodiano. Per Pertinace, cfr. il II libro.
[47] *triste*: scellerate.

quale tu iudichi per mantenerti, avere bisogno, è corrotta, ti conviene seguire l'umore suo per satisfarle; e allora le buone opere ti sono nimiche.[48] Ma vegnamo ad Alessandro[49] il quale fu di tanta bontà, che intra le altre laude che li sono attribuite è questa, che in quattordici anni che tenne lo imperio, non fu mai morto da lui alcuno iniudicato[50]; nondimanco, sendo tenuto effeminato, e uomo che si lasciassi governare alla madre, e per questo venuto in disprezzo, conspirò in lui lo esercito, e ammazzollo.

Discorrendo ora, per opposito, le qualità di Commodo, di Severo, Antonino, Caracalla e Massimino,[51] li troverrete crudelissimi e rapacissimi; li quali, per satisfare a' soldati, non perdonorono[52] ad alcuna qualità di iniuria che ne' populi si potessi commettere; e tutti, eccetto Severo, ebbono tristo fine. Perché in Severo fu tanta virtú, che, mantenendosi e' soldati amici, ancora che i populi fussino da lui gravati, possé sempre regnare felicemente; perché quelle sua virtú lo facevano nel conspetto de' soldati e de' populi sí mirabile, che questi rimanevano quodammodo[53] attoniti e stupidi,[54] e quegli altri reverenti e satisfatti.

E perché le azioni di costui furono grandi e notabili in uno principe nuovo, io voglio mostrare brevemente quanto bene seppe usare la persona della golpe e del lione: le quali nature io dico di sopra[55] essere necessarie imitare a uno principe. Conosciuto Severo la ignavia di Iuliano imperatore,[56] persuase al suo esercito, del quale era

[48] Piú complessi sviluppi da questa osservazione in *Discorsi*, I, 18.
[49] Alessandro Severo. Cfr. Erodiano, VI.
[50] *non fu mai... iniudicato*: non fu mai ucciso nessuno senza regolare giudizio.
[51] Marco Aurelio Commodo (180-192), ucciso in una congiura di palazzo; Settimio Severo (193-211), riordinatore dell'esercito; Antonino Caracalla (211-217), noto per la sua ferocia; Massimino (235-238), deposto e ucciso dai soldati.
[52] *non perdonorono*: non si sottrassero; non ebbero scrupolo a compiere.
[53] *quodammodo*: in qualche modo.
[54] *stupidi*: stupiti, affascinati.
[55] Cfr. n. 8 al cap. XVIII, p. 99.
[56] Marco Didio Giuliano che alla morte di Pertinace (193) aveva acquistato il diritto all'impero. Venne ucciso dai soldati di Severo. Cfr. Erodiano, II, 26 sgg.

in Stiavonia[57] capitano, che gli era bene andare a Roma a vendicare la morte di Pertinace, il quale da' soldati pretoriani era stato morto. E sotto questo colore, sanza mostrare di aspirare allo imperio, mosse lo esercito contro a Roma; e fu prima in Italia che si sapessi la sua partita.[58] Arrivato a Roma, fu dal senato, per timore, eletto imperatore e morto Iuliano. Restava, dopo questo principio, a Severo due difficultà, volendosi insignorire di tutto lo stato: l'una in Asia, dove Pescennio Nigro,[59] capo degli eserciti asiatici, si era fatto chiamare[60] imperatore; e l'altra in ponente, dove era Albino,[61] quale ancora lui aspirava allo imperio. E perché iudicava periculoso scoprirsi inimico a tutti a dua, deliberò di assaltare Nigro e ingannare Albino. Al quale scrisse come, sendo dal senato eletto imperatore, voleva partecipare[62] quella dignità con lui; e mandogli il titulo di Cesare e, per deliberazione del senato, se lo aggiunse collega: le quali cose furono da Albino accettate per vere. Ma poiché Severo ebbe vinto e morto Nigro, e pacate le cose orientali,[63] ritornatosi a Roma, si querelò, in senato, come Albino, poco conoscente[64] de' benefizii ricevuti da lui, aveva dolosamente cerco di ammazzarlo, e per questo lui era necessitato andare a punire la sua ingratitudine.[65] Di poi andò a trovarlo in Francia,[66] e li tolse lo stato e la vita.

Chi esaminerà, adunque, tritamente[67] le azioni di costui, lo troverrà uno ferocissimo lione e una astutissima

[57] *Schiavonia*: anticamente l'Illiria.
[58] *partita*: partenza.
[59] Caio Pescennino Nigro, proclamato imperatore dalle legioni di Antiochia nel 193, vinto a Nicea da Severo e ucciso dai suoi soldati a Cizia (195). Cfr. Erodiano, III, 1-13.
[60] *chiamare*: proclamare (*clamo*).
[61] Decio Claudio Settimio Albino, comandante delle legioni britanniche. Dapprima si accordò con Severo, poi, vinto da lui a Lione, venne decapitato (197). Cfr. Erodiano, III, 17-22.
[62] *partecipare*: far partecipe, associare.
[63] Dopo un incerto esito della campagna d'Oriente (197-202), Settimio Severo concluse la pace con i Parti.
[64] *conoscente*: riconoscente, grato (di averlo proclamato correggente nell'Impero).
[65] In Erodiano (III, 19), queste lamentele sono rivolte da Settimio Severo all'esercito.
[66] Lo scontro avvenne a Lione nel 196.
[67] *tritamente*: (*tritus*): minuziosamente, analiticamente.

golpe: e vedrà quello temuto e reverito da ciascuno e dagli eserciti non odiato; e non si maraviglierà se lui, uomo nuovo, arà possuto tenere tanto imperio; perché la sua grandissima reputazione lo difese sempre da quello odio ch'e' populi per le sue rapine avevano potuto concipere.[68] Ma Antonino,[69] suo figliuolo, fu ancora lui uomo che aveva parte eccellentissime[70] e che lo facevano maraviglioso nel conspetto de' populi e grato a' soldati; perché era uomo militare, sopportantissimo d'ogni fatica, disprezzatore d'ogni cibo delicato e d'ogni altra mollizie: la qual cosa lo faceva amare da tutti gli eserciti; nondimanco la sua ferocia e crudeltà fu tanta e sí inaudita, per avere, dopo infinite occisioni particulari, morto gran parte del populo di Roma e tutto quello di Alessandria, che diventò odiosissimo a tutto il mondo. E cominciò ad essere temuto etiam da quelli ch'egli aveva intorno; in modo che fu ammazzato da uno centurione,[71] in mezzo del suo esercito. Dove è da notare che queste simili morti, le quali seguano per deliberazione di uno animo ostinato, sono da' principi inevitabili; perché ciascuno che non si curi di morire lo può offendere; ma debbe bene el principe temerne meno, perché le sono rarissime. Debbe solo guardarsi di non fare grave iniuria ad alcuno di coloro de' quali si serve, e che gli ha d'intorno al servizio del suo principato: come aveva fatto Antonino,[72] il quale aveva morto contumeliosamente uno fratello di quel centurione, e lui ogni giorno minacciava; tamen lo teneva a guardia del corpo suo; il che era partito temerario e da ruinarvi come gli intervenne.

Ma vegnamo a Commodo[73]; al quale era facilità grande tenere lo imperio, per averlo iure hereditario, sendo figliuolo di Marco[74]; e solo li bastava seguire le vestigie

[68] *concipere*: concepire (*concipio*).
[69] Antonino Caracalla (211-217). Cfr. Erodiano, IV.
[70] *parte eccellentissime*: eccellenti qualità.
[71] Nel 217, per istigazione di Opilio Macrino, prefetto dei pretoriani, dal centurione Marziale.
[72] Cfr. *Discorsi*, III, 6; Erodiano, IV, 22-24; e cfr. anche *Discorsi*, III, 17.
[73] Marco Aurelio Commodo (180-192). Morí assassinato e fu noto per la sua volgarità e ferocia. Cfr. Erodiano, I.
[74] Marco Aurelio, cui successe nel 180.

del padre, e a' soldati e a' populi arebbe satisfatto. Ma, sendo d'animo crudele e bestiale, per potere usare la sua rapacità ne' popoli, si volse a intrattenere[75] gli eserciti e farli licenziosi; dall'altra parte, non tenendo la sua dignità, discendendo spesso ne' teatri a combattere co' gladiatori, e faccendo altre cose vilissime e poco degne della maestà imperiale, diventò contennendo nel conspetto de' soldati. Ed essendo odiato dall'una parte e disprezzato dall'altra, fu conspirato in lui, e morto.[76]

Restaci a narrare le qualità di Massimino.[77] Costui fu uomo bellicosissimo; ed essendo gli eserciti infastiditi della mollizie di Alessandro,[78] del quale ho di sopra discorso, morto lui, lo elessono allo imperio. Il quale non molto tempo possedé; perché dua cose lo feciono odioso e contennendo; l'una, essere vilissimo[79] per avere già guardato[80] le pecore in Tracia (la qual cosa era per tutto notissima, e gli faceva una grande dedignazione[81] nel conspetto di qualunque); l'altra, perché, avendo, nello ingresso del suo principato, differito lo andare a Roma ed intrare nella possessione della sedia imperiale,[82] aveva dato di sé opinione di crudelissimo, avendo per li sua prefetti, in Roma e in qualunque luogo dello imperio, esercitato molte crudeltà. Tal che, commosso tutto el mondo dallo sdegno per la viltà del suo sangue, e dallo odio per la paura della sua ferocia, si rebellò prima Affrica, di poi el senato con tutto el popolo di Roma; e tutta Italia gli conspirò contro. A che si aggiunse el suo proprio esercito; quale, campeggiando Aquileia e trovando difficultà nella espugnazione, infastidito della crudeltà sua, e per vederli tanti inimici temendolo meno,[83] lo ammazzò.

[75] intrattenere: lusingare, accattivarsi.
[76] Cfr. sulla sua uccisione, Discorsi, III, 6. (Erodiano, I, 52-55.)
[77] Giulio Vero Massimino (235-238). Ucciso dai suoi soldati presso Aquileia. Cfr. Erodiano, VII-VIII.
[78] Alessandro Severo.
[79] vilissimo: di basso rango (vilis).
[80] guardato: custodito.
[81] dedignazione: dal lat. dedignatio: sprezzo.
[82] Governò senza recarsi mai a Roma.
[83] e per vederli... meno: e temendolo meno (sogg.: l'esercito) per vederlo circondato da tanti nemici. Il senato gli oppose, come imperatore, dapprima i due Gordiani e poi Pupieno Massimo.

Io non voglio ragionare né di Eliogabalo né di Macrino né di Iuliano,[84] li quali, per essere al tutto contennendi, si spensono subito; ma verrò alla conclusione di questo discorso. E dico che li principi de' nostri tempi hanno meno questa difficultà di satisfare estraordinariamente[85] a' soldati ne' governi loro; perché, nonostante che si abbi ad avere a quelli qualche considerazione, tamen si resolve presto, per non avere, alcuno di questi principi, eserciti insieme che sieno inveterati[86] con li governi e amministrazione delle provincie, come erano gli eserciti dello imperio romano. E però, se allora era necessario satisfare piú a' soldati che a' populi, era perch'e' soldati potevano piú ch'e' populi; ora è piú necessario a tutti e' principi, eccetto che al Turco e al Soldano,[87] satisfare a' populi che a' soldati, perché e' populi possono piú di quelli. Di che io ne eccettuo el Turco, tenendo sempre quello intorno a sé dodicimila fanti e quindicimila cavalli,[88] da' quali depende la securtà e la fortezza del suo regno: ed è necessario che, posposto ogni altro respetto, quel signore se li mantenga amici. Similmente el regno del Soldano sendo tutto in mano de' soldati, conviene che ancora lui, sanza respetto de' populi, se li mantenga amici. E avete a notare che questo stato del Soldano[89] è disforme da tutti gli altri principati, perché egli è simile al pontificato cristiano, il quale non si può chiamare né principato ereditario né principato nuovo; perché non e' figliuoli del principe vecchio sono eredi e rimangono signori, ma colui che è eletto a quel grado da coloro che ne hanno autorità. Ed essendo questo ordine antiquato, non si può chiamare principato nuovo, perché in quello non sono alcune di quelle difficultà che sono ne' nuovi[90];

---

[84] Eliogabalo fu trucidato nel 222; Macrino nel 218 dopo un solo anno di regno; Marco Didio Giuliano nel 193, dopo poco piú di due mesi.
[85] *estraordinariamente*: con mezzi illegali.
[86] *inveterati*: assuefatti per vecchia data (*invetero*).
[87] *Soldano*: il sultano d'Egitto.
[88] I giannizzeri, che tuttavia costituivano la fanteria dell'esercito turco. Ma spesso, con essi, s'intendeva il "nerbo" complessivo delle milizie turche.
[89] Il regno dei Mamelucchi in Egitto, fondato nel 1250; aggregato alla Turchia nel 1517.
[90] Cfr. *Principe*, III: "Ma nel principato nuovo consistono le difficoltà."

perché, sebbene el principe è nuovo, gli ordini di quello stato sono vecchi, e ordinati a riceverlo come se fussi loro signore ereditario.[91]

Ma torniamo alla materia nostra. Dico che qualunque considerrà el soprascritto discorso, vedrà o l'odio o il disprezzo essere suto cagione della ruina di quegli imperadori prenominati; e conoscerà ancora donde nacque che parte di loro procedendo in uno modo e parte al contrario, in qualunque di quelli, uno di loro ebbe felice e gli altri infelice fine.[92] Perché a Pertinace ed Alessandro, per essere principi nuovi, fu inutile e dannoso volere imitare Marco, che era nel principato iure hereditario; e similmente a Caracalla, Commodo e Massimino essere stata cosa perniziosa imitare Severo, per non avere avuta tanta virtú che bastassi a seguitare le vestigie sua. Pertanto, uno principe nuovo, in uno principato nuovo, non può imitare le azioni di Marco, né ancora è necessario seguitare quelle di Severo; ma debbe pigliare da Severo quelle parti che per fondare el suo stato sono necessarie, e da Marco quelle che sono convenienti e gloriose a conservare uno stato che sia di già stabilito e fermo.

XX.

An arces et multa alia quae cotidie a principibus fiunt utilia an inutilia sint*

Alcuni principi, per tenere securamente lo stato, hanno disarmato e' loro sudditi; alcuni altri hanno tenuto divise le terre subiette[1]; alcuni hanno nutrito inimicizie contro a se medesimi[2]; alcuni altri si sono volti a guada-

---

[91] Cfr. Discorsi, I, 25-26.

[92] Torna di nuovo il tema, già precedentemente emerso, della necessità di adeguare i comportamenti alle circostanze, tema che sarà particolarmente affrontato nel cap. XXV del Principe. Ma cfr. anche Discorsi, III, 19-23 e III, 7-9; e i Ghiribizi al Soderini.

* XX. Se le fortezze e molte altre cose, che ogni giorno si fanno da' principi, sono utili o no.

[1] Cfr. Discorsi, III, 27.

[2] È spiegato nel sesto capoverso di questo capitolo. E cfr. Discorsi, II, 29.

gnarsi quelli che gli erano suspetti nel principio del suo stato; alcuni hanno edificato fortezze[3]; alcuni le hanno ruinate e destrutte. E benché di tutte queste cose non si possa dare determinata sentenzia, se non si viene a' particulari di quelli stati dove si avessi a pigliare alcuna simile deliberazione, nondimanco io parlerò in quel modo largo[4] che la materia per se medesima sopporta.

Non fu mai, adunque, che uno principe nuovo disarmassi e' sua sudditi; anzi, quando gli ha trovati disarmati, sempre gli ha armati; perché, armandosi, quelle arme diventano tua; diventano fedeli quelli che ti sono sospetti; e quelli che erano fedeli si mantengono e di sudditi si fanno tuoi partigiani. E perché tutti e' sudditi non si possono armare, quando si benefichino quelli che tu armi, con gli altri si può fare più a sicurtà: e quella diversità del procedere che conoscono in loro,[5] li fa tua obligati; quegli altri[6] ti scusano, iudicando essere necessario quelli avere più merito che hanno più periculo e più obligo. Ma quando tu li disarmi, tu cominci a offenderli; mostri che tu abbi in loro diffidenzia o per viltà o per poca fede: e l'una e l'altra di queste opinioni concepe[7] odio contro di te. E perché tu non puoi stare disarmato, conviene ti volti alla milizia mercenaria, la quale è di quella qualità che di sopra è detto[8]; e quando la fussi buona, non può essere tanta che ti defenda da' nimici potenti e da' sudditi sospetti. Però, come io ho detto, uno principe nuovo, in uno principato nuovo, sempre vi ha ordinato le armi; e di questi esempli ne sono piene le istorie.

Ma quando uno principe acquista uno stato nuovo che, come membro, si aggiunga al suo vecchio,[9] allora è necessario disarmare quello stato, eccetto quelli che nello acquistarlo sono suti tuoi partigiani; e quelli ancora, col

[3] Cfr. *Discorsi*, II, 24.
[4] *in quel modo largo*: in quei termini generali.
[5] *che conoscono in loro*: che riconoscono usato nei loro confronti. Allude ai cittadini armati.
[6] *quegli altri*: cioè: coloro che non sono stati armati.
[7] *concepe*: genera, fa nascere (*concipio*).
[8] Nel cap. XIII. E cfr. *Discorsi*, I, 21; II, 10; III, 31; II, 20, ecc.
[9] Cfr. *Principe*, III.

tempo e con le occasioni, è necessario renderli molli ed effeminati, e ordinarsi in modo che solo le armi di tutto el tuo stato sieno in quelli tua soldati proprii, che nello stato tuo antiquo vivono appresso di te.

Solevano gli antiqui nostri, e quelli che erano stimati savi, dire come era necessario tenere Pistoia con le parti e Pisa con le fortezze[10] e per questo nutrivano in qualche terra[11] loro suddita le differenzie,[12] per possederle piú facilmente. Questo, in quelli tempi che Italia era in uno certo modo bilanciata,[13] doveva essere ben fatto; ma non credo che si possa dare oggi per precetto: perché io non credo che le divisioni facessino mai bene alcuno; anzi è necessario,[14] quando il nimico si accosta, che le città divise si perdino subito; perché sempre la parte piú debole si aderirà[15] alle forze esterne, e l'altra non potrà reggere.[16]

E' Viniziani, mossi, come io credo, dalle ragioni soprascritte, nutrivano le sètte[17] guelfe e ghibelline nelle città loro suddite; e benché non li lasciassino mai venire al sangue, tamen nutrivano fra loro questi dispareri,[18] acciò che, occupati quelli cittadini in quelle loro differenzie, non si unissino contro di loro. Il che, come si vide, non tornò loro poi a proposito; perché, sendo rotti a Vailà,[19] subito una parte di quelle prese ardire, e tolsono loro tutto lo stato.[20] Arguiscano,[21] pertanto, simili modi

---

[10] Cfr. n. 2 al cap. XVII, p. 94. E lo stesso severo giudizio torna in *Discorsi*, III, 27: "Ed hanno certe loro moderne opinioni, discosto al tutto dal vero; come è quella che dicevano e' savi della nostra città, un tempo fa: che bisognava tenere Pistoia con le parti, e Pisa con le fortezze; e non si avveggono quanto l'una e l'altra di queste due cose è inutile."
[11] *terra*: qui come sempre: città.
[12] *differenzie*: contese, discordie.
[13] *bilanciata*: politicamente equilibrata. Allude ai quarant'anni che dalla pace di Lodi vanno alla morte del Magnifico e alla discesa di Carlo VIII (1494). I maggiori stati italiani erano: Milano, Firenze, Venezia, Roma, Napoli. Cfr. F. Guicciardini, *Storia d'Italia*, I, 1.
[14] *è necessario*: è inevitabile.
[15] *si aderirà*: si unirà.
[16] Cfr. *Discorsi*, II, 25.
[17] *sètte*: fazioni, partiti. Guelfe e ghibelline qui in senso piú generale.
[18] *dispareri*: contrasti.
[19] Ad Agnadello, nel 1509.
[20] Si ribellarono prima Brescia e Verona e poi Vicenza, Padova e altre città. Cfr. F. Guicciardini, *Storia d'Italia*, VIII, 4.
[21] *Arguiscano*: dal lat. *arguo*: tradiscono, denunciano.

debolezza del principe: perché in uno principato gagliardo mai si permetteranno simili divisioni; perché le fanno solo profitto a tempo di pace, potendosi, mediante quelle, piú facilmente maneggiare e' sudditi; ma venendo la guerra, mostra simile ordine la fallacia sua.[22]

Sanza dubbio e' principi diventano grandi quando superano le difficultà e le opposizioni che sono fatte loro; e però la fortuna, massime quando vuole fare grande uno principe nuovo, il quale ha maggiore necessità di acquistare reputazione che uno ereditario, li fa nascere de' nemici, e li fa fare delle imprese contro, acciò che quello abbi cagione di superarle, e su per quella scala che gli hanno pòrta[23] e' nimici sua, salire piú alto.[24] Però molti iudicano che uno principe savio debbe, quando ne abbi la occasione, nutrirsi con astuzia qualche inimicizia, acciò che, oppresso quella, ne seguiti maggiore sua grandezza.

Hanno e' principi, et praesertim[25] quelli che sono nuovi, trovato piú fede e piú utilità in quegli uomini che nel principio del loro stato sono suti tenuti sospetti, che in quelli che nel principio erano confidenti.[26] Pandolfo Petrucci, principe di Siena, reggeva lo stato suo piú con quelli che li furono sospetti che con li altri.[27] Ma di questa cosa non si può parlare largamente,[28] perché la varia secondo el subietto. Solo dirò questo, che quegli uomini che nel principio di uno principato erono stati inimici, che sono di qualità che a mantenersi abbino bisogno di appoggiarsi,[29] sempre el principe con facilità grandissima

[22] Cfr. *Discorsi*, II, 30.

[23] *pòrta*: da porgere: offerta.

[24] Cfr. *Discorsi*, II, 29: "Fa bene la fortuna questo, che la elegge uno uomo, quando la voglia condurre cose grandi, che sia di tanto spirito e di tanta virtú, che ei conosca quelle occasioni che la gli porge. Cosí medesimamente, quando la voglia condurre grandi rovine, ella vi prepone uomini che aiutino quella rovina."

[25] *et praesertim*: e in special modo.

[26] *erano confidenti*: (*confido*): del principe. Nei quali il principe confidava.

[27] Pandolfo Petrucci divenne signore di Siena nel 1500. Fu grande nemico del Valentino. Machiavelli parla molto di lui nella *Legazione al duca Valentino*. E cfr. anche *Discorsi*, III, 6.

[28] *largamente*: troppo in generale.

[29] *abbino bisogno di appoggiarsi*: cioè: si vedano costretti a trovare un appoggio, un sostegno.

se li potrà guadagnare; e loro maggiormente sono forzati a servirlo con fede, quanto conoscano[30] essere loro piú necessario cancellare con le opere quella opinione sinistra che si aveva di loro; e cosí il principe ne trae sempre piú utilità, che di coloro che, servendolo con troppa sicurtà, straccurono[31] le cose sua.

E poiché la materia lo ricerca,[32] non voglio lasciare indrieto ricordare a' principi che hanno preso uno stato di nuovo mediante e' favori intrinseci di quello,[33] che considerino bene qual cagione abbi mosso quelli che lo hanno favorito, a favorirlo; e, se ella non è affezione naturale verso di loro,[34] ma fussi solo perché quelli[35] non si contentavano[36] di quello stato, con fatica e difficultà grande se li potrà mantenere amici, perché e' fia impossibile che lui possa contentarli. E discorrendo bene, con quegli esempli che dalle cose antiche e moderne si traggono, la cagione di questo, vedrà esserli molto piú facile guadagnarsi amici quegli uomini che dello stato innanzi si contentavono, e però[37] erano suoi inimici, che quelli che, per non se ne contentare, li diventorono amici e favorironlo a occuparlo.[38]

È suta consuetudine de' principi, per potere tenere piú sicuramente lo stato loro, edificare fortezze, che sieno la briglia e il freno di quelli che disegnassino fare loro contro, e avere uno refugio securo da uno subito impeto. Io laudo questo modo, perché gli è usitato ab antiquo.[39] Nondimanco, messer Niccolò Vitelli,[40] ne' tempi nostri, si è visto disfare dua fortezze in Città di Castello per te-

---

[30] *quanto conoscano*: in quanto sanno.

[31] *straccurono*: trascurano.

[32] *ricerca*: (*require*): esige.

[33] *che hanno... di quello*: che sono divenuti signori di uno stato nuovo grazie all'aiuto dei maggiorenti di quello stesso stato.

[34] *verso di loro*: cioè: verso i nuovi signori, i nuovi principi divenuti signori.

[35] *quelli*: coloro che hanno favorito il nuovo principe.

[36] *non si contentavano*: non erano soddisfatti (del precedente governo di quello stato).

[37] *e però*: e perciò.

[38] Cfr. *Discorsi*, I, 16; III, 9.

[39] *ab antiquo*: sin dai tempi antichi. Ma cfr. *Discorsi*, II, 24.

[40] Niccolò Vitelli, capitano di ventura, s'impadroní di Città di Castello. Ne venne espulso da Sisto IV nel 1474. Cfr. *Discorsi*, II, 24.

nere quello stato. Guido Ubaldo,[41] duca di Urbino, ritornato nella sua dominazione donde da Cesare Borgia era suto cacciato, ruinò funditus[42] tutte le fortezze di quella provincia, e iudicò sanza quelle piú difficilmente riperdere quello stato. E' Bentivogli, ritornati in Bologna, usorono simili termini.[43] Sono, dunque, le fortezze utili o no, secondo e' tempi; e se le ti fanno bene in una parte, ti offendano in una altra. E puossi discorrere[44] questa parte cosí: quel principe che ha piú paura de' populi che de' forestieri,[45] debbe fare le fortezze; ma quello che ha piú paura de' forestieri che de' populi, debbe lasciarle indrieto. Alla casa Sforzesca ha fatto e farà piú guerra il castello di Milano, che vi edificò Francesco Sforza,[46] che alcuno altro disordine di quello stato. Però la migliore fortezza che sia, è non essere odiato dal populo; perché, ancora che tu abbi le fortezze, e il populo ti abbi in odio, le non ti salvono; perché non mancano mai a' populi, preso che gli hanno l'armi, forestieri che li soccorrino.[47] Ne' tempi nostri, non si vede che quelle abbino profittato[48] ad alcuno principe, se non alla contessa di Furlí, quando fu morto il conte Girolamo[49] suo consorte; perché, mediante quella, possé fuggire l'impeto populare e aspettare el soccorso da Milano, e recuperare lo stato. E li tempi stavano allora in modo, che il forestiere non posseva soccorrere el populo. Ma di poi valsono ancora a lei poco le fortezze, quando Cesare Borgia l'assaltò, e che il po-

[41] Guidobaldo da Montefeltro, duca di Urbino nel 1482, venne cacciato dal Valentino nel 1502. Cfr. *Discorsi*, II, 24. E per questo, il precedente e l'esempio che subito segue, cfr. anche i *Ghiribizi* al Soderini.
[42] *funditus*: dalle fondamenia. Quando ritornò nel suo ducato, dopo la morte di Alessandro VI, Guidobaldo distrusse le fortezze e fece di Urbino una magnifica corte rinascimentale.
[43] Distrussero la fortezza edificata da Giulio II a porta Galliera.
[44] *discorrere*: trattare, esaminare (*discurro*).
[45] *forestieri*: nemici esterni.
[46] Cfr. *Discorsi*, II, 24.
[47] Cfr. *Discorsi*, II, 21, 23-24.
[48] *abbino profittato*: abbiano dato un effettivo vantaggio.
[49] Caterina Sforza Riario, quando le venne ucciso il marito Gerolamo in una congiura a Forlí nel 1488 (cfr. *Discorsi*, III, 6), si rinchiuse in una fortezza e quindi, con l'aiuto di Ludovico il Moro, rientrò nei suoi possedimenti.

pulo suo inimico si coniunse col forestiero.[50] Pertanto, allora e prima, sarebbe suto piú sicuro a lei non essere odiata dal populo che avere le fortezze. Considerato, adunque, tutte queste cose, io lauderò chi farà le fortezze e chi non le farà; e biasimerò qualunque, fidandosi delle fortezze, stimerà poco essere odiato da' populi.[51]

XXI.

Quod principem deceat ut egregius habeatur*

Nessuna cosa fa tanto stimare uno principe, quanto fanno le grandi imprese e dare di sé rari esempli. Noi abbiamo ne' nostri tempi Ferrando di Aragona,[1] presente re di Spagna. Costui si può chiamare quasi principe nuovo, perché, di uno re debole, è diventato per fama e per gloria el primo re de' Cristiani; e se considerrete le azioni sua, le troverrete tutte grandissime e qualcuna estraordinaria. Lui nel principio del suo regno assaltò la Granata: e quella impresa fu il fondamento dello stato suo. Prima, e' la fece ozioso[2] e sanza sospetto di essere impedito: tenne occupati in quella gli animi di quelli baroni di Castiglia, li quali, pensando a quella guerra, non pen-

---

[50] La rivolta popolare scoppiò il 15 dicembre 1499. Caterina tornò a rinchiudersi nella fortezza, ma il Borgia espugnò la rocca il 21 dicembre di quell'anno. Il *forestiero* è naturalmente il Valentino.
[51] Le stesse conclusioni nel piú volte citato cap. 24° del II libro dei *Discorsi*.

* XXI. *Che si conviene a un principe perché sia stimato.*
[1] Ferdinando il Cattolico. Divenuto re d'Aragona alla morte del padre (1479), liberò la penisola iberica dagli arabi conquistando il regno di Granata (1481-92) e rinnovò nel 1492 il protettorato sul regno di Navarra. Avendo sposato Isabella erede al trono di Castiglia, rafforzò l'unione personale delle due corone. Consolidato il regime interno, fu in grado di affrontare una politica internazionale di espansione. La necessità di aggiungere al possesso delle basi in Africa settentrionale il dominio sull'Italia meridionale (1502) per il controllo del Mediterraneo impresse alla sua politica una netta impronta antifrancese. Aderì alla Lega Santa contro Luigi XII (1512) e occupò infine, sempre nel 1512, la parte spagnola della Navarra. Morí nel 1516. E cfr. l'epistolario col Vettori relativo agli anni 1513-1514 e, in particolare, la lettera del Machiavelli del 29 aprile 1513.
[2] *ozioso*: dal lat. *otiosus*: libero da altri impegni.

savano a innovare.[3] E lui acquistava, in quel mezzo,[4] reputazione e imperio sopra di loro, che non se ne accorgevano; possé nutrire,[5] con danari della Chiesa e de' populi, eserciti, e fare uno fondamento, con quella guerra lunga, alla milizia sua, la quale lo ha di poi onorato. Oltre a questo, per potere intraprendere maggiori imprese, servendosi sempre della religione,[6] si volse a una pietosa crudeltà, cacciando e spogliando, el suo regno, de Marrani[7]: né può essere questo esemplo piú miserabile né piú raro. Assaltò, sotto questo medesimo mantello, l'Affrica[8]: fece l'impresa di Italia; ha ultimamente assaltato la Francia; e cosí sempre ha fatte e ordite cose grandi, le quali sempre hanno tenuto sospesi e ammirati gli animi de' sudditi e occupati nello evento[9] di esse. E sono nate queste sua azioni in modo, l'una dall'altra, che non ha dato mai, infra l'una e l'altra, spazio agli uomini di potere quietamente[10] operarli contro.

Giova ancora assai a uno principe dare di sé esempli rari circa e' governi di dentro,[11] simili a quelli che si narrano di messer Bernabò da Milano, quando si ha l'occasione di qualcuno che operi qualche cosa estraordinaria, o in bene o in male, nella vita civile, e pigliare uno modo, circa premiarlo o punirlo, di che s'abbia a parlare assai.[12] E sopra tutto, uno principe si debbe ingegnare dare di se in ogni sua azione fama di uomo grande e d'ingegno eccellente.

È ancora stimato uno principe, quando egli è vero

---

[3] *innovare*: a mutare gli ordinamenti interni.
[4] *in quel mezzo*: in questo corso di tempo; frattanto.
[5] *nutrire*: qui: ordinare, organizzare.
[6] In quanto combatteva, o fingeva di combattere, in nome della cristianità contro gli infedeli. Cfr. F. Guicciardini, *Ricordi*, C 142.
[7] *Marrani*: cosí erano chiamati dagli spagnoli (*marranos*) i mori e gli ebrei costretti con la violenza a convertirsi al cattolicesimo. La cacciata, gravida di funeste conseguenze per la Spagna, avvenne tra il 1501 e il 1502.
[8] Nel 1509, da Orano a Tripoli.
[9] *evento*: successo, buon esito.
[10] *quietamente*: con la necessaria calma e ponderazione. Cfr. la lettera al Vettori del 29 aprile 1513 (*Lettere*, 204).
[11] *e' governi di dentro*: le istituzioni interne dello stato.
[12] Cfr. *Discorsi*, I, 24 e 28-32. Allude a Bernabò Visconti che tenne la signoria di Milano dal 1354 al 1385, dapprima in compagnia dei fratelli Matteo e Galeazzo e poi, dal 1378, da solo.

amico e vero inimico; cioè quando, sanza alcuno respetto, si scuopre[13] in favore di alcuno contro ad un altro. Il quale partito fia sempre piú utile che stare neutrale[14]; perché se dua potenti tuoi vicini vengono alle mani, o sono di qualità che, vincendo uno di quelli, tu abbi a temere del vincitore, o no. In qualunque di questi dua casi, ti sarà sempre piú utile lo scoprirti e fare buona[15] guerra; perché, nel primo caso, se tu non ti scuopri sarai sempre preda di chi vince, con piacere e satisfazione di colui che è stato vinto, e non hai ragione né cosa alcuna che ti defenda né che ti riceva[16]; perché, chi vince non vuole amici sospetti e che non lo aiutino nelle avversità, chi perde, non ti riceve, per non avere tu voluto con le arme in mano correre[17] la fortuna sua.

Era passato in Grecia Antioco,[18] messovi dagli Etoli per cacciarne e' Romani. Mandò Antioco oratori agli Achei, che erano amici de' Romani, a confortarli a stare di mezzo[19]; e da altra parte e' Romani li persuadevano a pigliare le arme per loro. Venne questa materia a deliberarsi nel concilio degli Achei, dove il legato di Antioco li persuadeva a stare neutrali: a che il legato romano rispose: "Quod autem isti dicunt non interponendi vos bello, nihil magis alienum rebus vestris est; sine gratia, sine dignitate, praemium victoris eritis."[20]

E sempre interverrà che colui che non è amico ti ricercherà della neutralità, e quello che ti è amico ti richiederà che ti scuopra con le arme. E li principi mal resoluti, per fuggire e' presenti pericoli, seguono el piú delle volte quella via neutrale, e il piú delle volte ruinano.

---

[13] *si scuopre*: si scopre, si manifesta apertamente.
[14] Contro l'irresoluzione politica, cfr. *Discorsi*, I, 38; II, 15; II, 23, ecc.
[15] *buona*: vigorosa e leale.
[16] *ti riceva*: ti dia ricetto, rifugio.
[17] *correre*: condividere.
[18] Antioco III, re di Siria. Insignito del titolo di stratego autocrate della lega etolica, divenne il paladino delle libertà greche, ma fu sconfitto alle Termopili (191 a.C.) e a Magnesia (190).
[19] *stare di mezzo*: a rimanere neutrali.
[20] "Quanto a ciò che costoro vi dicono, di non immischiarvi nella guerra, nulla è piú lontano dal vostro interesse: senza gratitudine e senza dignità sarete di premio al vincitore." Cfr. Livio, XXXV, 49, 8; ma le parole di Livio sono un po' diverse.

Ma quando el principe si scuopre gagliardamente in favore d'una parte, se colui con chi tu ti aderisci vince, ancora che sia potente e che tu rimanga a sua discrezione, egli ha teco obligo, e vi è contratto l'amore; e gli uomini non sono mai sí disonesti, che con tanto esemplo di ingratitudine[21] ti opprimessino; di poi, le vittorie non sono mai sí stiette,[22] che il vincitore non abbi ad avere qualche respetto, e massime alla giustizia. Ma se quello con il quale tu ti aderisci perde, tu se' ricevuto da lui; e mentre che può ti aiuta, e diventi compagno d'una fortuna che può resurgere. Nel secondo caso, quando quelli che combattono insieme[23] sono di qualità che tu non abbi a temere di quello che vince, tanto è maggiore prudenzia[24] lo aderirsi, perché tu vai alla ruina di uno[25] con lo aiuto di chi lo doverrebbe salvare, se fussi savio; e, vincendo, rimane a tua discrezione, ed è impossibile, con lo aiuto tuo, che non vinca.

E qui è da notare che uno principe debbe avvertire di non fare mai compagnia[26] con uno piú potente di sé, per offendere altri, se non quando la necessità lo stringe, come di sopra si dice; perché, vincendo, rimani suo prigione: e li principi debbano fuggire, quanto possono, lo stare a discrezione di altri. E' Viniziani si accompagnorono con Francia contro al duca di Milano,[27] e potevono fuggire[28] di non fare quella compagnia; di che ne resultò la ruina loro. Ma quando non si può fuggirla (come intervenne a' Fiorentini quando il papa e Spagna andorono con gli eserciti ad assaltare la Lombardia)[29] allora si debba il principe aderire per le ragioni sopradette. Né creda mai alcuno stato potere sempre pigliare partiti securi, anzi pensi di avere a prenderli tutti dubbii: perché si

[21] Sull'ingratitudine, cfr. *Discorsi*, I, 28-30.
[22] *stiette*: schiette, nette.
[23] *insieme*: tra di loro.
[24] *prudenzia*: saggezza, preveggenza politica.
[25] *vai alla ruina di uno*: ti appresti ad annientare uno. E cfr., nel III cap., gli errori di Luigi XII.
[26] *fare... compagnia*: allearsi.
[27] Cfr. il cap. III. Si tratta dell'accordo di Blois, del 15 aprile 1499.
[28] *fuggire*: evitare.
[29] Al tempo della Lega Santa (1511-12) i fiorentini rimasero neutrali e seguirono una linea politica piena d'incertezze; ne conseguí, nel 1512, la caduta della Repubblica. Cfr. *Discorsi*, II, 15; II, 27.

trova questo nell'ordine delle cose, che mai non si cerca fuggire uno inconveniente che non si incorra in uno altro; ma la prudenza consiste in sapere conoscere le qualità degli inconvenienti e pigliare il meno tristo per buono.[30]

Debbe ancora uno principe mostrarsi amatore delle virtú dando recapito[31] alli uomini virtuosi, e onorare gli eccellenti in una arte. Appresso, debbe animare[32] li sua cittadini di potere quietamente esercitare gli esercizi[33] loro, e nella mercanzia e nella agricultura e in ogni altro esercizio degli uomini; e che quello non tema di ornare[34] le sua possessioni per timore che le gli sieno tolte, e quell'altro di aprire uno traffico per paura delle taglie[35]; ma debbe preparare premi a chi vuol fare queste cose,[36] e a qualunque pensa, in qualunque modo, ampliare la sua città o il suo stato. Debbe, oltre a questo, ne' tempi convenienti dell'anno, tenere occupati e' populi con le feste e spettaculi. E perché ogni città è divisa in arte o in tribú,[37] debbe tenere conto di quelle università, raunarsi con loro qualche volta, dare di sé esemplo di umanità e di munificenzia, tenendo sempre ferma nondimanco la maestà della dignità sua, perché questo non vuole mai mancare in cosa alcuna.

XXII.

De his quos a secretis principes habent*

Non è di poca importanzia a uno principe la elezione de' ministri; li quali sono buoni o no, secondo la pruden-

---

[30] Cfr. *Discorsi*, I, 6: "Ed in tutte le cose umane si vede questo: che non si può mai cancellare uno inconveniente, che non ne surga un altro." E *Discorsi*, I, 38: "...e sempre prese il meno reo partito per migliore."
[31] *recapito*: ricetto; accoglienza.
[32] *animare*: dal lat. *animare*: provvedere; fare in modo.
[33] *esercizi*: attività.
[34] *ornare*: corredare (*orno*).
[35] *taglie*: imposte.
[36] Cfr., per gli sviluppi, *Discorsi*, I, 24.
[37] *in arte o in tribú*: in corporazioni o per quartieri.

* XXII. *De' secretarii ch'e' principi hanno appresso di loro.*

zia del principe. E la prima coniettura che si fa del cervello[1] di uno signore, è vedere gli uomini che lui ha d'intorno; e quando e' sono sufficienti[2] e fideli, si può sempre reputarlo savio, perché ha saputo conoscerli sufficienti e mantenerli fideli. Ma quando sieno altrimenti, sempre si può fare non buono iudizio di lui; perché el primo errore che fa, lo fa in questa elezione.

Non era alcuno che conoscessi messer Antonio da Venafro per ministro di Pandolfo Petrucci, principe di Siena,[3] che non iudicasse Pandolfo essere valentissimo uomo, avendo quello per suo ministro. E perché sono di tre generazione cervelli[4]: l'uno intende da sé, l'altro discerne quello che altri intende, el terzo non intende né sé né altri; quel primo è eccellentissimo, el secondo eccellente, el terzo inutile; conveniva pertanto di necessità, che, se Pandolfo non era nel primo grado, che fussi nel secondo: perché, ogni volta che uno ha iudicio di conoscere el bene o il male che uno fa e dice, ancora che da sé non abbia invenzione,[5] conosce le opere triste e le buone del ministro, e quelle esalta e le altre corregge; e il ministro non può sperare di ingannarlo, e mantiensi buono.

Ma come uno principe possa conoscere il ministro, ci è questo modo che non falla mai; quando tu vedi el ministro pensare piú a sé che a te, e che in tutte le azioni vi ricerca drento l'utile suo, questo tale cosí fatto mai fia buono ministro, mai te ne potrai fidare: perché quello che ha lo stato di uno in mano, non debbe pensare mai a sé, ma al principe, e non li ricordare mai cosa che non appartenga a lui. E dall'altro canto, el principe, per mantenerlo buono, debba pensare al ministro, onorandolo,

[1] *cervello*: dal lat. *cerebrum*, nel senso di intelligenza.

[2] *sufficienti*: dal lat. *sufficiens*: capaci.

[3] Su Pandolfo Petrucci, cfr. n. 27 al cap. XX, p. 116. Antonio Giordani da Venafro (1459-1530), insegnò diritto nello Studio di Siena e divenne poi consigliere del Petrucci.

[4] *sono di tre generazione cervelli*: esistono tre forme d'intelligenza: il comprendere da sé; il comprendere quel che altri ha compreso; il non comprendere in alcun modo. È la ripresa di un passo di Livio; esattamente del discorso di Minucio ai soldati (XXII, 29, 5): "Spesso ho sentito dire che superiore è colui che da se stesso provvede a quanto occorre fare; inferiore colui che obbedisce a chi sa comprendere; terzo e ultimo colui che non sa né provvedere a se stesso né ubbidire ad altri."

[5] *invenzione*: dal lat. *inventio*: facoltà conoscitiva.

faccendolo ricco, obligandoselo, partecipandoli gli onori e carichi[6]; acciò che vegga che non può stare sanza lui, e che gli assai onori non li faccino desiderare piú onori, le assai ricchezze non li faccino desiderare piú ricchezze, gli assai carichi li faccino temere le mutazioni.[7] Quando, dunque, e' ministri e li principi circa e' ministri sono cosí fatti, possono confidare l'uno dell'altro; e quando altrimenti, sempre il fine fia dannoso o per l'uno o per l'altro.

XXIII.

Quomodo adulatores sint fugiendi*

Non voglio lasciare indrieto uno capo[1] importante e uno errore dal quale e' principi con difficultà si defendano, se non sono prudentissimi, o se non hanno buona elezione.[2] E questi sono gli adulatori, de' quali le corti sono piene; perché gli uomini[3] si compiacciono tanto nelle cose loro proprie e in modo vi si ingannano, che con difficultà si defendano da questa peste; e a volersene defendere, si porta periculo di non[4] diventare contennendo Perché non ci è altro modo a guardarsi dalle adulazioni, se non che gli uomini intendino che non ti[5] offendino a dirti el vero; ma quando ciascuno può dirti el vero, ti manca la reverenzia.[6] Pertanto uno principe prudente debbe tenere uno terzo modo, eleggendo nel suo stato uomini savi, e solo a quelli debba dare libero arbitrio[7] a parlargli la verità; e di quelle cose sole che lui domanda, e non d'altro. Ma debbe

---

[6] *carichi*: incarichi.
[7] *mutazioni*: rivolgimenti di governo. Per tutto il passo, *e contrario*, si può vedere *Discorsi*, III, 17.

* XXIII. *In che modo si abbino a fuggire li adulatori.*
[1] *uno capo*: un tema, un capitolo.
[2] *elezione*: capacità di scelta (*electio*), relativamente ai cortigiani.
[3] *gli uomini*: in generale, ma in particolare i principi.
[4] *di non*: di.
[5] *ti*: rivolto al principe.
[6] *reverenzia*: ossequioso rispetto; soggezione (*reverentia*).
[7] *libero arbitrio*: libera e piena facoltà.

domandarli d'ogni cosa, e le opinioni loro udire; e di poi deliberare da sé, a suo modo; e con questi consigli,[8] e con ciascuno di loro, portarsi in modo che ognuno conosca che, quanto piú liberamente si parlerà, tanto piú li fia accetto: fuora di quelli, non volere udire alcuno, andare drieto alla cosa deliberata ed essere ostinato[9] nelle deliberazioni sua. Chi fa altrimenti, o e' precipita per[10] gli adulatori, o si muta spesso[11] per la variazione de' pareri: di che ne nasce la poca estimazione sua.

Io voglio a questo proposito addurre uno esemplo moderno. Pre' Luca,[12] uomo di Massimiliano, presente imperadore, parlando di sua maestà disse come e' non si consigliava con persona, e non faceva mai di alcuna cosa a suo modo[13]: il che nasceva dal tenere contrario termine al sopradetto. Perché lo imperadore è uomo secreto, non comunica li sua disegni con persona, non ne piglia parere; ma, come, nel metterli ad effetto, si comincino a conoscere e scoprire, li comincino ad essere contradetti da coloro che lui ha d'intorno; e quello, come facile,[14] se ne stoglie. Di qui nasce che quelle cose che fa uno giorno, destrugge l'altro; e che non si intenda mai quello si voglia o disegni fare; e che non si può sopra le sua deliberazioni fondarsi.

Uno principe, pertanto, debbe consigliarsi sempre; ma quando lui vuole e non quando vuole altri; anzi debbe torre animo[15] a ciascuno di consigliarlo d'alcuna cosa, se non gnene domanda. Ma lui debbe bene essere largo domandatore,[16] e di poi circa le cose domandate paziente au-

---

[8] *consigli*: consiglieri.
[9] *essere ostinato*: mantenersi fermo; perseverare.
[10] *precipita per*: si rovina a causa.
[11] *si muta spesso*: appare troppo volubile. E cfr. *Discorsi*, III, 31.
[12] Luca Rinaldi, vescovo, ambasciatore dell'imperatore Massimiliano. Cfr. il *Rapporto delle cose della Magna* (17 giugno 1508).
[13] Cfr. il *Discorso sopra le cose della Magna e sopra l'Imperatore*: "È vario, perché oggi vuole una cosa e domani no; non si consiglia con persona, e crede ad ognuno." E nel *Rapporto* cit.: "Quanto al maneggiar le altre cose, Pre' Luca... mi ha detto queste parole: 'L'Imperatore non chiede consiglio a persona, ed è consigliato da ciascuno; vuol fare ogni cosa da sé, e nulla fa a suo modo,' " ecc.
[14] *facile*: corrivo.
[15] *torre animo*: scoraggiare.
[16] *largo domandatore*: insistente nel chiedere.

ditore del vero; anzi, intendendo che alcuno per alcuno rispetto[17] non gnene dica, turbarsene. E perché molti esistimano che alcuno principe, il quale dà di sé opinione di prudente, sia cosí tenuto non per sua natura ma per li buoni consigli che lui ha d'intorno, sanza dubbio s'ingannano. Perché questa è una regola generale che non falla mai: che uno principe, il quale non sia savio per se stesso, non può essere consigliato bene, se già a sorte[18] non si rimettessi in uno solo che al tutto lo governassi, che fussi uomo prudentissimo. In questo caso, potria bene essere, [19] ma durerebbe poco, perché quello governatore in breve tempo li torrebbe lo stato. Ma, consigliandosi con piú d'uno, uno principe che non sia savio non arà mai e' consigli uniti,[20] né saprà per se stesso unirli; de' consiglieri, ciascuno penserà alla proprietà sua[21]; lui non li saprà correggere né conoscere. E non si possono trovare altrimenti; perché gli uomini sempre ti riusciranno tristi, se da una necessità non sono fatti buoni.[22] Però si conclude che li buoni consigli, da qualunque venghino, conviene naschino dalla prudenzia del principe, e non la prudenzia del principe da' buoni consigli.

XXIV.

Cur Italiae principes
regnum amiserunt*

Le cose soprascritte, osservate prudentemente, fanno parere, uno principe nuovo, antico[1] e lo rendono subito piú securo e piú fermo nello stato, che se vi fussi anti-

[17] *per alcuno rispetto*: per qualche timore o scrupolo.
[18] *se già a sorte*: salvo il caso che.
[19] *essere*: cioè: essere principe.
[20] *uniti*: convergenti, omogenei.
[21] *alla proprietà sua*: a proprio modo.
[22] Cfr. *Discorsi*, I, 3: "gli uomini non operono mai nulla bene, se non per necessità."

* XXIV. *Per quale cagione li principi di Italia hanno perso li stati loro.*
[1] *antico*: cioè: consolidato sul trono e quasi ereditario.

quato drento. Perché uno principe nuovo è molto piú osservato[2] nelle sue azioni che uno ereditario; e quando le sono conosciute virtuose, pigliano[3] molto piú gli uomini e molto piú gli obligano che il sangue antico. Perché gli uomini sono molto piú presi dalle cose presenti che dalle passate; e quando nelle presenti truovono il bene, vi si godono e non cercano altro[4]; anzi, piglieranno ogni difesa per lui, quando non manchi nelle altre cose a se medesimo. E cosí arà duplicata gloria, di avere dato principio a uno principato nuovo; e ornatolo e corroboratolo di buone legge, di buone arme e di buoni esempli; come quello ha duplicata vergogna, che, nato principe, lo ha per sua poca prudenzia perduto.

E se si considerrà quelli signori che in Italia hanno perduto lo stato a' nostri tempi, come il re di Napoli, duca di Milano,[5] e altri, si troverrà in loro, prima, uno comune defetto quanto alle armi, per le cagioni che di sopra a lungo si sono discorse[6]; di poi, si vedrà alcuno di loro o che arà avuto inimici e' populi, o, se arà avuto el populo amico, non si sarà saputo assicurare de' grandi[7]; perché, sanza questi difetti, non si perdono li stati che abbino tanto nervo che possino tenere uno esercito alla campagna.[8] Filippo Macedone, non il padre di Alessandro, ma quello che fu vinto da Tito Quinto,[9] aveva non molto stato, respetto alla grandezza de' Romani e di Grecia che lo assaltò: nondimanco, per essere uomo militare e che sapeva intrattenere el populo e assicurarsi de' grandi, sostenne piú anni la guerra contro a quelli; e se

---

[2] *osservato*: considerato, seguito (*observo*).
[3] *pigliano*: catturano. Il soggetto è: le azioni virtuose del principe.
[4] Cfr. ad es. *Discorsi*, III, 5: "Perché gli uomini, quando sono governati bene, non cercano né vogliono altra libertà".
[5] Federico d'Aragona perdette il regno nel 1504; Ludovico il Moro nel 1500.
[6] Nei capp. XII-XIV.
[7] Cfr. ad es. *Discorsi*, I, 16: "[Clearco] diliberò a un tratto liberarsi dal fastidio de' grandi, e guadagnarsi il populo."
[8] Cfr. *Discorsi*, II, 10, ecc.
[9] Filippo V di Macedonia (221-179 a.C.). La sua politica espansionistica ricevette un duro colpo a Cinocefale (197). Dovette concedere la libertà alla Grecia e rinunciare ai suoi possedimenti in Africa. Cfr. *Discorsi*, III, 10.

alla fine perdé il dominio di qualche città, li rimase nondimanco el regno.

Pertanto, questi nostri principi, che erano stati molti anni nel principato loro, per averlo di poi perso non accusino la fortuna, ma la ignavia loro: perché, non avendo mai ne' tempi quieti pensato che possono mutarsi (il che è comune defetto degli uomini, non fare conto, nella bonaccia, della tempesta[10]), quando poi vennono i tempi avversi, pensorono a fuggirsi e non a defendersi; e sperorono che e' populi, infastiditi dalla insolenzia de' vincitori, gli richiamassino. Il quale partito, quando mancono gli altri, è buono; ma è bene male[11] avere lasciati gli altri remedii per quello; perché non si vorrebbe mai cadere, per credere[12] di trovare chi ti ricolga[13]; il che, o non avviene, o, s'egli avviene, non è con tua sicurtà, per essere quella difesa suta vile e non dependere[14] da te. E quelle difese solamente sono buone, sono certe, sono durabili, che dependono da te proprio[15] e dalla virtú tua.

XXV.

Quantum fortuna in rebus humanis possit, et quomodo illi sit occurrendum*

E' non mi è incognito come molti hanno avuto e hanno opinione che le cose del mondo sieno in modo governate dalla fortuna e da Dio, che gli uomini con la prudenzia loro non possino correggerle, anzi non vi abbino remedio alcuno; e per questo potrebbono iudicare che non fussi da insudare[1] molto nelle cose, ma lasciarsi governare alla sorte. Questa opinione è suta piú creduta ne'

---

[10] Cfr. il cap. che immediatamente segue.
[11] *ma è bene male*: ma è certamente male.
[12] *per credere*: anche se si crede; nonostante si creda.
[13] *ti ricolga*: ti rialzi, ti dia aiuto.
[14] *non dependere*: cioè: non esser dipesa.
[15] *da te proprio*: da te stesso.

* XXV. *Quanto possa la fortuna nelle cose umane, et in che modo se li abbia a resistere.*
[1] *insudare*: darsi da fare, affaticarsi.

nostri tempi, per la variazione[2] grande delle cose che si sono viste e veggonsi ogni dí, fuora di ogni umana coniettura. A che pensando, io, qualche volta, mi sono in qualche parte inclinato nella opinione loro. Nondimanco, perché il nostro libero arbitrio non sia spento, iudico potere essere vero che la fortuna sia arbitra della metà delle azioni nostre, ma che etiam lei ne lasci governare l'altra metà, o presso,[3] a noi. E assomiglio quella a uno di questi fiumi rovinosi, che, quando s'adirano, allagano e' piani, ruinano gli alberi e gli edifizii, lievono da questa parte terreno, pongono da quell'altra; ciascuno fugge loro dinanzi, ognuno cede allo impeto loro, sanza potervi in alcuna parte obstare.[4] E benché sieno cosí fatti, non resta[5] però che gli uomini, quando sono tempi quieti, non vi potessino fare provvedimenti, e con ripari e argini, in modo che, crescendo poi, o egli andrebbano per uno canale, o l'impeto loro non sarebbe né sí licenzioso[6] né sí dannoso. Similmente interviene della fortuna; la quale dimostra la sua potenzia dove non è ordinata virtú a resisterle; e quivi volta li sua impeti dove la sa che non sono fatti gli argini e li ripari a tenerla.[7] E se voi considerrete l'Italia, che è la sedia[8] di queste variazioni e quella che ha dato loro il moto, vedrete essere una campagna sanza argini e sanza alcuno riparo: ché, s'ella fussi riparata da conveniente virtú, come la Magna, la Spagna e la Francia o questa piena non arebbe fatte le variazioni grandi che ha, o la non ci sarebbe venuta.

E questo voglio basti avere detto quanto allo opporsi

[2] *variazione*: rivolgimento. Allude alla crisi italiana dopo la discesa di Carlo VIII e la fine della cosiddetta "politica d'equilibrio," che regnò in Italia per quarant'anni, dalla pace di Lodi (1454) alla morte del Magnifico (1492).

[3] *o presso*: o quasi.

[4] *obstare*: (*obsto*): contrastare, opporsi.

[5] *non resta*: ciò non implica.

[6] *licenzioso*: sregolato.

[7] Cfr. *Discorsi*, II, 30: "Perché, dove gli uomini hanno poca virtú, la fortuna mostra assai la potenza sua; e, perché la è varia, variano le repubbliche e gli stati spesso; e varieranno sempre infino che non surga qualcuno che sia della antichità tanto amatore, che la regoli in modo, che la non abbia cagione di mostrare, a ogni girare di sole, quanto ella puote."

[8] *sedia*: sede, fulcro. Nel corso della prima metà del Cinquecento l'Italia fu al centro della tempesta europea.

alla fortuna, in universali.[9] Ma, restringendomi piú a particulari, dico come si vede oggi questo principe felicitare,[10] e domani ruinare, sanza averli veduto mutare natura o qualità alcuna. Il che credo che nasca, prima, dalle cagioni che si sono lungamente per lo adrieto discorse,[11] cioè che quel principe che si appoggia tutto in sulla fortuna, rovina, come quella varia. Credo, ancora, che sia felice quello che riscontra[12] il modo del procedere suo con le qualità de' tempi, e similmente sia infelice quello che con il procedere suo si discordano e' tempi.[13] Perché si vede gli uomini, nelle cose che li conducono al fine quale ciascuno ha innanzi, cioè glorie e ricchezze, procedervi variamente[14]; l'uno con respetto, l'altro con impeto; l'uno per violenzia, l'altro con arte; l'uno per pazienzia, l'altro con il suo contrario: e ciascuno con questi diversi modi vi può pervenire. Vedesi ancora dua respettivi,[15] l'uno pervenire al suo disegno, l'altro no; e similmente dua equalmente felicitare con dua diversi studii,[16] sendo l'uno respettivo e l'altro impetuoso: il che non nasce da altro, se non dalla qualità de' tempi, che si conformano o no col procedere loro. Di qui nasce quello ho detto, che dua, diversamente operando, sortiscono el medesimo effetto[17]; e dua equalmente operando, l'uno si conduce al suo fine,

---

[9] *in universali*: in termini generali.
[10] *felicitare*: prosperare.
[11] Nel cap. VII, in part.
[12] *riscontra*: adegua.
[13] Cfr. *Discorsi*, III, 9: "Io ho considerato piú volte come la cagione della trista e della buona fortuna degli uomini è riscontrare il modo del procedere suo con i tempi: perché e' si vede che gli uomini nelle opere loro procedono, alcuni con impeto, alcuni con rispetto e con cauzione," ecc. E cfr. *Ghiribizi* al Soderini: "et quello è felice che riscontra el modo del procedere suo con el tempo, et quello, per opposito, è infelice che si diversifica con le sue actioni da el tempo e da l'ordine delle cose... Et veramente, chi fussi tanto savio che conoscessi e tempi et l'ordine delle cose et adcomodassisi ad quelle, harebbe sempre buona fortuna o e' si guarderebbe sempre da la trista, et verrebbe ad esser vero che 'l savio comanda alle stelle et a' fati" (*Lettere*, 116). E cfr. *Discorsi*, III, 8; ecc.
[14] *variamente*: con diversi ed opposti comportamenti. Cfr. *Ghiribizi*, cit.: "et vedendosi con varii governi conseguire una medesima cosa et diversamente operando havere uno medesimo fine." E cfr. *Discorsi*, III, 21-22, con gli esempi di Annibale e Scipione.
[15] *respettivi*: prudenti, riguardosi.
[16] *dua diversi studii*: due comportamenti, atteggiamenti diversi.
[17] Cfr. *Discorsi*, III, 21 (Annibale e Scipione) e III, 22 (Manlio Torquato e Valerio Corvino).

e l'altro no.[18] Da questo ancora depende la variazione del bene; perché, se uno che si governa con respetti e pazienzia, e' tempi e le cose girono in modo che il governo suo sia buono, e' viene felicitando; ma, se li tempi e le cose si mutano, e' rovina, perché non muta modo di procedere.[19] Né si truova uomo sí prudente che si sappi accomodare[20] a questo; sí perché non si può deviare da quello a che la natura lo inclina; sí etiam perché, avendo sempre uno prosperato camminando per una via, non si può persuadere partirsi da quella.[21] E però l'uomo respettivo, quando egli è tempo di venire allo impeto, non lo sa fare; donde rovina; ché, se si mutassi di natura con li tempi e con le cose, non si muterebbe fortuna.[22]

Papa Iulio II procedé in ogni sua cosa impetuosamente[23]; e trovò tanto e' tempi e le cose conforme a quello suo modo di procedere, che sempre sortí felice fine. Considerate la prima impresa che fe', di Bologna, vivendo ancora messer Giovanni Bentivogli.[24] E' Viniziani non se ne contentavano; el re di Spagna, quel medesimo; con Francia aveva ragionamenti di tale impresa; e nondimanco, con la sua ferocia e impeto, si mosse personalmente a quella espedizione. La quale mossa fece stare sospesi e fermi Spagna e Viniziani; quelli per paura, e quell'altro[25] per il desiderio aveva di recuperare tutto el regno di Napoli; e dall'altro canto si tirò drieto il re di Francia, perché, vedutolo quel re mosso, e desiderando farselo amico per abbassare e' Viniziani, iudicò non poterli negare la sua gente sanza iniuriarlo manifestamente.[26] Condusse, adun-

[18] Cfr. *Discorsi*, III, 9, con l'esempio di Fabio.
[19] Cfr. *Discorsi*, III, 9, con l'esempio di Pier Soderini.
[20] *accomodare*: adeguare.
[21] Cfr. *Discorsi*, III, 9: "E che noi non ci possiamo mutare, ne sono cagioni due cose: l'una, che noi non ci possiamo opporre a quello che ci inclina la natura; l'altra, che, avendo uno con uno modo di procedere prosperato assai, non è possibile persuadergli che possa fare bene a procedere altrimenti."
[22] *non si muterebbe fortuna*: non muterebbe la sua fortuna.
[23] Lo stesso esempio in *Discorsi*, III, 9; III, 41.
[24] L'impresa di Giulio II avvenne nel 1506. Giovanni II Bentivoglio dovette abbandonare la città e morí in esilio l'anno dopo.
[25] Ferdinando il Cattolico, che voleva ricuperare le città della costa adriatica e ionica in mano ai veneziani.
[26] Allude alla lega di Cambrai, costituita nel 1508.

que, Iulio, con la sua mossa impetuosa, quello che mai altro pontefice, con tutta la umana prudenzia, arebbe condotto; perché, se egli aspettava di partirsi da Roma con le conclusioni ferme[27] e tutte le cose ordinate, come qualunque altro pontefice arebbe fatto, mai li riusciva; perché il re di Francia arebbe avuto mille scuse, e gli altri messo mille paure. Io voglio lasciare stare le altre sue azioni, che tutte sono state simili, e tutte li sono successe bene.[28] E la brevità della vita[29] non gli ha lasciato sentire il contrario; perché, se fussino venuti tempi che fussi bisognato procedere con respetti, ne seguiva la sua ruina: né mai arebbe deviato da quelli modi a' quali la natura lo inclinava.

Concludo, adunque, che, variando la fortuna, e stando gli uomini ne' loro modi ostinati, sono felici mentre concordano insieme, e, come discordano, infelici.[30] Io iudico bene questo: che sia meglio essere impetuoso che respettivo; perché la fortuna è donna, ed è necessario, volendola tenere sotto, batterla e urtarla. E si vede che la si lascia piú vincere da questi, che da quelli che freddamente procedano; e però sempre, come donna, è amica de' giovani, perché sono meno respettivi, piú feroci e con piú audacia la comandano.

XXVI.

Exhortatio ad capessendam Italiam in libertatemque a barbaris vindicandam*

Considerato, adunque, tutte le cose di sopra discorse, e pensando meco medesimo se, al presente, in Italia correvano tempi da onorare uno nuovo principe, e se ci era

[27] le conclusioni ferme: i patti stipulati.
[28] li sono successe bene: gli sono ben riuscite.
[29] Regnò dal 1503 al 1513.
[30] Cfr. Discorsi, III, 8: "E coloro che... si discordono dai tempi, vivono, il piú delle volte, infelici, ed hanno cattivo esito le azioni loro; al contrario l'hanno quegli che si concordano col tempo."

* XXVI. Esortazione a pigliare la Italia e liberarla dalle mani de' barbari.

materia che dessi occasione a uno prudente e virtuoso di introdurvi forma che facessi onore a lui e bene alla università degli uomini di quella; mi pare concorrino tante cose in benefizio di uno principe nuovo, che io non so qual mai tempo fussi piú atto a questo. E se, come io dissi,[1] era necessario, volendo vedere la virtú di Moisè, che il populo d'Isdrael fussi stiavo in Egitto; e a conoscere la grandezza dello animo di Ciro, ch'e' Persi fussino oppressati da' Medi, e la eccellenzia di Teseo, che gli Ateniesi fussino dispersi[2]; cosí, al presente, volendo conoscere la virtú di uno spirito italiano, era necessario che la Italia si riducessi nel termine che ella è di presente, e che la fussi piú stiava che gli Ebrei, piú serva ch'e' Persi, piú dispersa che gli Ateniesi; sanza capo, sanza ordine; battuta, spogliata, lacera, corsa[3]; ed avessi sopportato d'ogni sorte ruina.

E benché fino a qui si sia mostro qualche spiraculo[4] in qualcuno, da potere iudicare che fussi ordinato da Dio[5] per sua redenzione, tamen si è visto da poi, come, nel piú alto corso delle azioni sue, è stato dalla fortuna reprobato.[6] In modo che, rimasa come sanza vita, aspetta qual possa essere quello che sani le sue ferite, e ponga fine a' sacchi di Lombardia, alle taglie del Reame e di Toscana, e la guarisca di quelle sue piaghe già per lungo tempo infistolite. Vedesi come la prega Dio, che le mandi qualcuno che la redima da queste crudeltà ed insolenzie barbare; vedesi ancora tutta pronta e disposta a seguire una bandiera, pur che ci sia uno che la pigli. Né ci si vede, al presente, in quale lei possa piú sperare che nella illustre casa vostra,[7] quale con la sua fortuna e virtú, favorita da Dio e dalla Chiesa, della quale è ora principe, possa farsi capo di questa redenzione. Il che

[1] Nel cap. VI. Cfr. ivi n. 11, p. 49.
[2] Cfr. n. 9 al cap. VI, p. 49.
[3] *corsa*: saccheggiata e percorsa dallo straniero.
[4] *spiraculo*: dal lat. *spiraculum*: spiraglio, indizio.
[5] *ordinato da Dio*: stabilito per decreto divino.
[6] *reprobato*: disconosciuto, respinto. Allude al Valentino.
[7] La casa dei Medici, che nel 1513 aveva uno dei suoi membri al soglio di Pietro (Leone X) e un altro, Lorenzo, cui è appunto dedicato il *Principe* (cfr. la dedicatoria), alla signoria di Firenze.

non fia molto difficile, se vi recherete innanzi le azioni e vita de' sopranominati. E benché quegli uomini sieno rari e maravigliosi, nondimanco furono uomini, ed ebbe ciascuno di loro minore occasione che la presente; perché la impresa loro non fu piú iusta di questa, né piú facile, né fu a loro Dio piú amico che a voi. Qui è iustizia grande: "iustum enim est bellum quibus necessarium, et pia arma ubi nulla nisi in armis spes est."[8] Qui è disposizione[9] grandissima; né può essere, dove è grande disposizione, grande difficultà, pur che quella[10] pigli degli ordini di coloro che io ho proposti per mira. Oltre di questo, qui si veggano estraordinarii[11] sanza esemplo condotti da Dio: el mare si è aperto; una nube vi ha scorto el cammino; la pietra ha versato acqua; qui è piovuto la manna; ogni cosa è concorsa nella vostra grandezza. El rimanente dovete fare voi. Dio non vuole fare ogni cosa, per non ci torre el libero arbitrio e parte di quella gloria che tocca a noi.

E non è maraviglia se alcuno de' prenominati Italiani[12] non ha possuto fare quello che si può sperare facci la illustre casa vostra; e se, in tante revoluzioni[13] di Italia e in tanti maneggi di guerra, e' pare sempre che in quella la virtú militare sia spenta. Questo nasce che gli ordini antiqui di essa non erano buoni, e non ci è suto alcuno che abbi saputo trovare de' nuovi[14]: e veruna cosa fa tanto onore a uno uomo che di nuovo surga, quanto fa le nuove legge e li nuovi ordini trovati da lui.[15] Queste

---

[8] "Giusta è una guerra per coloro ai quali è necessaria; e pie sono le armi quando non v'è speranza che in esse." È una frase di Livio (IX, 1, 10) tratta dal discorso del sannita Caio Ponzio ai soldati. Ritorna in *Discorsi*, III, 12.

[9] *disposizione*: nel senso di circostanza favorevole, per le ragioni sopra menzionate.

[10] *quella*: la casa dei Medici.

[11] *estraordinarii*: sostantivato: eventi straordinari. Seguono riferimenti alla marcia degli ebrei nel loro cammino verso la terra promessa: il passaggio del mar Rosso; la nube nella quale si celava Jeovah per guidare la marcia; la roccia di Horeb; la caduta della manna. Cfr. *Ex.*, VI sgg.

[12] Il Valentino e Francesco Sforza.

[13] *revoluzioni*: mutamenti, rivolgimenti.

[14] Vedi quanto Machiavelli scrive nel secondo libro dei *Discorsi*. In part. II, 16.

[15] Cfr. *Discorsi*, I, 16, ma anche III, 1.

cose, quando sono bene fondate e abbino in loro grandezza, lo fanno reverendo e mirabile. E in Italia non manca materia da introdurvi ogni forma; qui è virtú grande nelle membra,[16] quando la non mancassi ne' capi. Specchiatevi ne' duelli e ne' congressi de' pochi,[17] quanto gli Italiani sieno superiori con le forze, con la destrezza, con lo ingegno; ma, come si viene agli eserciti, non compariscono.[18] E tutto procede dalla debolezza de' capi; perché quelli che sanno, non sono obediti, e a ciascuno pare di sapere, non ci sendo infino a qui alcuno che si sia saputo rilevare,[19] e per virtú e per fortuna, che gli altri cedino. Di qui nasce che, in tanto tempo, in tante guerre fatte ne' passati venti anni,[20] quando egli è stato uno esercito tutto italiano, sempre ha fatto mala pruova. Di che è testimone prima el Taro, di poi Alessandria, Capua, Genova, Vailà, Bologna, Mestri.[21]

Volendo, dunque, la illustre casa vostra seguitare quegli eccellenti uomini che redimerno[22] le provincie loro, è necessario, innanzi a tutte le altre cose, come vero fondamento d'ogni impresa, provvedersi d'arme proprie; perché non si può avere né piú fidi, né piú veri, né migliori soldati. E benché ciascuno di essi sia buono, tutti insieme diventeranno migliori, quando si vedranno comandare dal loro principe e da quello onorare ed intratenere.[23] È necessario, pertanto, prepararsi a queste arme, per po-

---

[16] *nelle membra*: cioè nel popolo. E sulle qualità e difetti del popolo, vedi, nel primo libro dei *Discorsi*, il gruppo di capitoli dal 53° al 58°.

[17] *congressi*: scontri (*congressus*). Allude alla disfida di Barletta (1503).

[18] *non compariscono*: non si rivelano.

[19] *rilevare*: elevarsi, sollevarsi. Sott.: in modo che.

[20] Dalla discesa di Carlo VIII, nel 1494.

[21] A Fornovo sul Taro (1495) Carlo VIII riuscí a forzare la stretta dei collegati italiani e ad aprirsi la strada per la Francia; Alessandria, abbandonata dal comandante delle milizie milanesi Galeazzo da San Severino, fu conquistata dai francesi nel 1499; Capua cadde in mano francese nel 1501; Genova si arrese a Luigi XII nel 1507. A Vailate (Agnadello), come s'è detto piú volte, i veneziani, sconfitti, corsero pericolo d'estrema rovina; Bologna fu abbandonata dal legato pontificio dinanzi ai francesi nel 1511; Mestre, da ultimo, venne incendiata dal comandante ispano-pontificio Raimondo Folch de Cardona nel 1513.

[22] *redimerno*: redensero, liberarono. E cioè Mosè, Ciro, Teseo e Romolo.

[23] Cfr. almeno *Discorsi*, III, 33; III, 10.

tere con la virtú italica defendersi dagli esterni. E benché la fanteria svizzera e spagnola sia esistimata terribile, nondimanco in ambedua è difetto, per il quale uno ordine terzo[24] potrebbe non solamente opporsi loro ma confidare di superarli. Perché li Spagnoli non possono sostenere e' cavalli, e li Svizzeri hanno ad avere paura de' fanti, quando li riscontrino[25] nel combattere ostinati come loro. Donde si è veduto e vedrassi per esperienzia, li Spagnoli non potere sostenere una cavalleria franzese, e li Svizzeri essere rovinati da una fanteria spagnola. E benché di questo ultimo non se ne sia visto intera esperienzia, tamen se ne è veduto uno saggio nella giornata di Ravenna,[26] quando le fanterie spagnole si affrontorono con le battaglie[27] todesche, le quali servono el medesimo ordine[28] che le svizzere; dove li Spagnoli, con l'agilità del corpo e aiuti de' loro brocchieri,[29] erano intrati, tra le picche loro, sotto, e stavano securi a offenderli sanza che li Todeschi vi avessino remedio; e se non fussi la cavalleria che li urtò, gli arebbano consumati[30] tutti. Puossi, adunque, conosciuto el difetto dell'una e dell'altra di queste fanterie, ordinarne una di nuovo, la quale resista a' cavalli e non abbia paura de' fanti: il che farà la generazione[31] delle armi e la variazione degli ordini. E queste sono di quelle cose che, di nuovo ordinate, dànno reputazione e grandezza a uno principe nuovo.

Non si debba, adunque, lasciare passare questa occasione, acciò che la Italia, dopo tanto tempo, vegga uno suo redentore. Né posso esprimere con quale amore e' fussi ricevuto in tutte quelle provincie che hanno patito

[24] *uno ordine terzo*: un terzo ordinamento. È descritto nel II libro dell'*Arte della guerra*.
[25] *li riscontrino*: li vedano, li riconoscano.
[26] Nella battaglia di Ravenna (11 aprile 1512) il condottiero francese Gaston de Foix sconfisse l'esercito della Lega Santa. Il nerbo della fanteria da parte francese era costituito di lanzichenecchi tedeschi; da parte della Lega di fanti spagnoli.
[27] *battaglie*: battaglioni.
[28] *ordine*: schieramento.
[29] Il brocchiere era una piccola rotella con uno sperone al centro che serviva di difesa e d'offesa.
[30] *consumati*: annientati.
[31] *generazione*: genere, qualità.

per queste illuvioni[32] esterne; con che sete di vendetta, con che ostinata fede, con che pietà, con che lacrime. Quali porte se gli serrerebbano?[33] quali populi gli negherebbano la obedienzia? quale invidia se gli opporrebbe? quale Italiano gli negherebbe l'ossequio? A ognuno puzza questo barbaro dominio. Pigli, adunque, la illustre casa vostra questo assunto con quello animo e con quella speranza che si pigliano le imprese iuste; acciò che, sotto la sua insegna, e questa patria ne sia nobilitata, e, sotto li sua auspizi, si verifichi quel detto del Petrarca[34]:

Virtú, contro a furore
prenderà l'arme, e fia el combatter corto,
ché l'antico valore
nell'italici cor non è ancor morto.

[32] *illuvioni*: alluvioni, invasioni.
[33] *Se gli serrerebbano?*: gli si chiuderebbero?
[34] *Italia mia* (*Rime*, CXXVIII, 93-96).

Indice

Universale Economica

Periodico trisettimanale [761] 29 marzo 1983

Direttore responsabile Franco Occhetto

Pubblicazione registrata
presso il Tribunale di Milano n. 92 del 25-2-1977

Finito di stampare nel mese di gennaio 1985
dalla Tipolito Milano-Roma - Milano

Spedizione in abbonamento postale
Tariffa ridotta editoriale
Autorizzazione n. 71311/PI/3 del 18-5-1963
Direzione provinciale P.T. Milano